SERIE INFINITA

Título original: *La porta del tempo*
Traducido de la edición italiana de Edizioni Piemme, S.p.A.

Primera edición: marzo de 2006
Segunda edición: septiembre de 2006
Tercera edición: mayo de 2007
Cuarta edición: setiembre de 2007
Quinta edición: octubre de 2007
Sexta edición: noviembre de 2007
Séptima edición: mayo de 2008
Octava edición: junio de 2008
Novena edición: noviembre de 2008
Décima edición: febrero de 2009
Undécima edición: mayo de 2009
Duodécima edición: junio de 2009
Decimotercera edición: septiembre de 2009
Decimocuarta edición: marzo de 2010

© 2004, Edizioni PIEMME, S.p.A.
© 2006, Grupo Editorial Random House Mondadori, S. L.
   Travessera de Gràcia, 47-49. 08021 Barcelona
   Cubierta e ilustraciones del interior: Iacopo Bruno
   Diseño de Iacopo Bruno y Laura Zucotti
   Adaptación del texto: Pierdomenico Baccalario
© 2006, Santiago Jordán, por la traducción

Printed in Spain – Impreso en España

ISBN: 978-84-8441-292-2
Depósito legal: B. 11.390-2010

Compuesto en Fotocomposición 2000, S. A.

Impreso y encuadernado en Liberdúplex, S. L. U.
Sant Llorens d'Hortons (Barcelona)

GT 1 2 9 2 X

In case of loss, please return to:

Ulysses Moore

~ Villa Argo ~

Kilmore Cove Cornwall
1822

Wm CLARKE & SON.
G.H. DAVIDSON 19 PETERS HILL
SOUTH SIDE OF St PAULS
LONDON

Traducción de
Santiago Jordán Sempere

Montena

Nota al lector

La historia de este libro es realmente increíble y somos los primeros interesados en saber cómo acabará. Todo comenzó con este e-mail que nos mandó un colaborador desde Cornualles. En cuanto a lo que viene luego, decidid vosotros mismos qué os parece…

La redacción de Montena

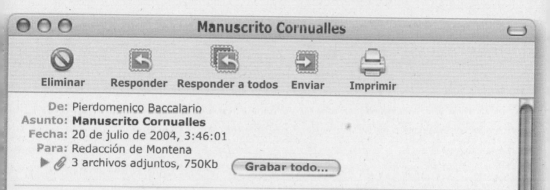

Eliminar   **Responder**   **Responder a todos**   **Enviar**   **Imprimir**

De: Pierdomenico Baccalario
Asunto: **Manuscrito Cornualles**
Fecha: 20 de julio de 2004, 3:46:01
Para: Redacción de Montena
▶ 𝒾 3 archivos adjuntos, 750Kb   (Grabar todo...)

¡Hola a todos!
Os escribo desde Cove Cottage, un *bed & breakfast* de Cornualles, para
poneros al corriente de algunos sucesos extraordinarios que me han
ocurrido.

Después de lo que me contasteis sobre el manuscrito que tanto os
intrigaba, me fui enseguida a Inglaterra. La única información que tenía
del autor era el nombre del lugar donde habita, Kilmore Cove, en
Cornualles. Al llegar a Londres alquilé un coche, pero mi viaje terminó en
Zennor, donde me encuentro ahora, porque no he hallado nada parecido a
«Kilmore Cove» en el mapa. Cuando llegué llamé al número de teléfono
que me habíais dado. Me contestó una señora muy amable, que me
preguntó en qué hotel me alojaba y me citó al día siguiente por la mañana
en recepción. En lugar de la amable señora inglesa, lo que me encontré a
la mañana siguiente fue un baúl (sí, habéis leído bien: ¡un baúl!) con una
escueta carta de acompañamiento, que reproduzco a continuación:

Distinguido señor:
He aquí el material que Ulysses Moore me ha pedido que le entregue. Si le
gusta y desea publicarlo, lo único que le pedimos es que el nombre de
Ulysses Moore aparezca bien a la vista en la portada y que se respete el
orden de los manuscritos.

Mis más cordiales saludos.
Isla de Calipso
Libros buenos salvados del mar

Dentro del baúl había un montón de fotografías, dibujos, pequeños mapas
y cuadernos de funda negra consumidos por el tiempo, todos ellos
numerados con una caligrafía diminuta y precisa, ¡pero en una lengua
absolutamente incomprensible!

Al principio pensé que se trataba de una broma, pero luego me puse a
mirar los mapas, dibujos y fotografías y comprendí que todas eran piezas

de una sola historia. Una historia que el autor, por un motivo que todavía no he logrado adivinar, ha decidido proteger con una escritura en un código muy especial.

Como podéis imaginar, aquello avivó aún más mi curiosidad y, como ya había reservado un *bed & breakfast* para toda la semana, me puse a buscar un método para traducir aquellos cuadernos. Como comprobaréis si seguís leyendo, creo que he conseguido «desvelar» el primero.

Pierdomenico.

P.D.: Os mando en un archivo adjunto una foto de Cove Cottage y otra del baúl y el mapa, para que veáis que Kilmore Cove es una misión imposible: ¡no existe!

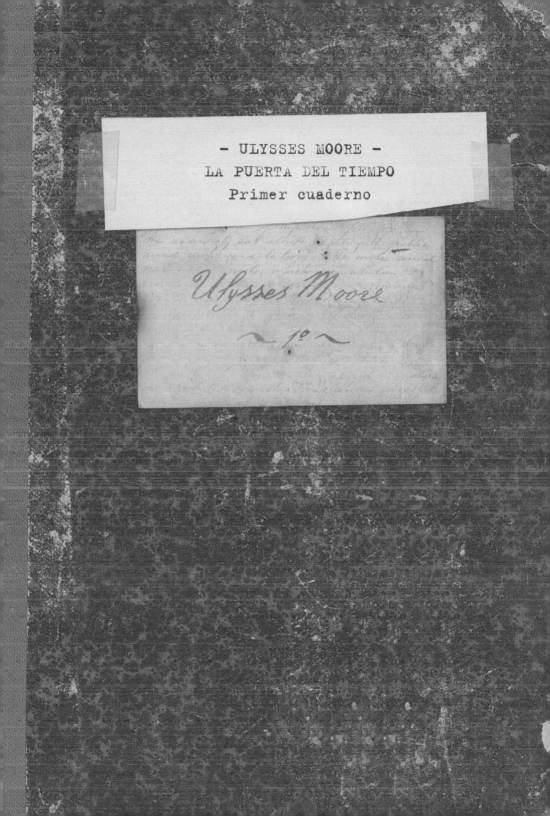

- ULYSSES MOORE -
LA PUERTA DEL TIEMPO
Primer cuaderno

Ulysses Moore

~ 1º ~

Capítulo (1)

- LA PUERTA ARAÑADA -

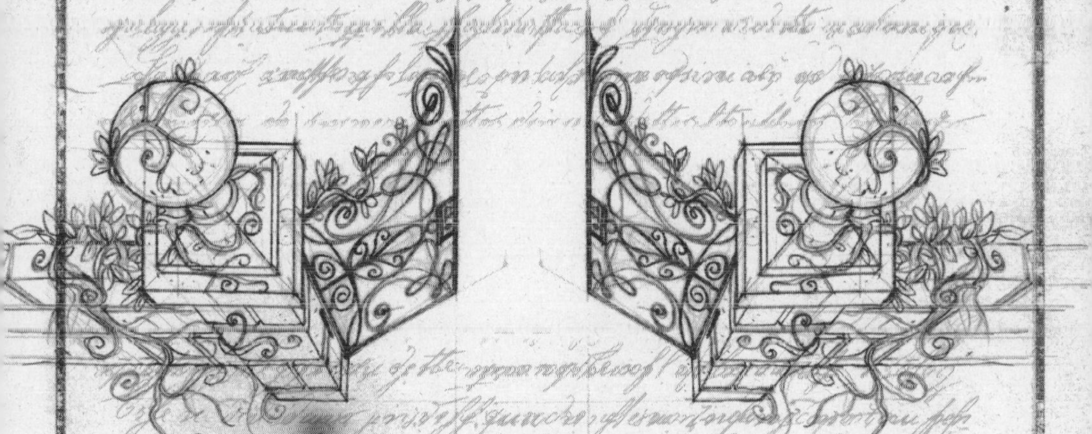

La casa colgada sobre el acantilado se les apareció de improviso, después de una curva. Su torrecilla de piedra, rodeada de árboles, se recortaba contra el azul del mar.

—¡Caramba! —exclamó la señora Covenant al verla.

Su marido, al volante, se limitó a sonreír. Franqueó la cancela de hierro forjado y aparcó el automóvil en el patio.

La señora Covenant bajó del coche. La grava crujió bajo sus tacones y ella parpadeó, como dudando si creer o no en lo que estaban viendo sus ojos.

La casa colgaba vertiginosamente sobre el mar: se oía batir las olas contra los escollos y el aire olía intensamente a salitre. El edificio se erguía contra el azul del mar y el cielo. Más cerca lo rodeaban los árboles del jardín y, a lo lejos, al pie del acantilado, se entreveía la bahía de Kilmore Cove con sus casas desperdigadas.

La señora Covenant, con la boca abierta, estaba de pie en medio del patio cuando se le acercó un hombre anciano, con el rostro marcado por arrugas pronunciadas y una barba blanca cuidada con primor. Tenía unos ojos muy vivaces e inquietos y una mirada profunda. Al presentarse, sobresaltó a la señora.

—Me llamo Nestor —dijo—. Soy el jardinero de Villa Argo.

Así que ese era el nombre de la casa, pensó ella: «Villa Argo».

Siguió a su marido y al jardinero cojo hasta un pórtico que daba sobre el mar.

—¿Seguro que no nos hemos equivocado? —preguntó la señora Covenant acariciando con el dedo los muros de Villa Argo, como para cerciorarse de que eran reales.

Su marido la tomó de la mano y le susurró:

—Y ahora, agárrate fuerte…

Villa Argo era aún más extraordinaria por dentro que por fuera: formaba un dédalo de habitaciones pequeñas, decoradas con muebles y objetos que parecían provenir de todos los rincones del mundo. Todo era perfecto: todo estaba en su sitio. Por primera vez en su vida, pensó la señora Covenant, no iba a tener que cambiar de lugar un solo mueble.

—Dime que no es mentira… —le susurró a su marido.

Él se limitó a apretarle la mano.

Así que era verdad: realmente habían comprado aquella casa.

La señora Covenant se dejó guiar hasta un pequeño salón con la bóveda y las paredes de piedra, antiguas y elegantes. Se accedía a ella atravesando una pequeña arcada. En la pared oriental había otra puerta de salida, de madera oscura.

—Esta es una de las estancias más antiguas… —empezó a decir el jardinero con aire de satisfacción—. No ha cambiado en más de mil años, cuando aquí aún había una torre medieval. El señor Moore, el antiguo propietario, se limitó a tapar las rendijas de la ventana para que no hubiera corriente y, naturalmente, a tender los hilos de la luz. —Les indicó la lámpara que colgaba del centro de la bóveda.

—A Jason le encantará… —dijo el señor Covenant.

Su mujer no hizo ningún comentario.

—Tienen dos hijos, ¿verdad? —preguntó el jardinero.

—Sí, un niño y una niña de once años —respondió la mujer de manera mecánica—. Son gemelos.

—E imagino que serán unos chicos inteligentes, alegres, llenos de vida… Y que estarán encantados de crecer en un lugar aislado del resto del mundo y de la red ultraveloz de internet…

La señora Covenant lo miró sorprendida.

—Bueno, supongo que sí… —respondió—. A lo mejor no está bien que sea yo quien lo diga, pero… sí, son muy independientes… —Le vino a la mente la imagen de Jason pegado a la pantalla del ordenador y cabeceó–. Yo creo que incluso sin internet ultraveloz estarán entusiasmados de vivir en una mansión como esta.

—Perfecto, verdaderamente perfecto —asintió el jardinero—. Si a la señora le gusta la casa, podemos dar por cerrado el trato.

El señor Covenant le explicó a su mujer que era voluntad del antiguo propietario, el señor Ulysses Moore, que la casa fuera a parar a una familia joven, con dos hijos por lo menos.

—Quería que la casa estuviera siempre llena de vida… —añadió el jardinero abriéndoles el paso hasta la salida de la habitación de piedra—. Decía que una casa sin niños es una casa muerta.

—Tenía razón —comentó la señora Covenant.

Antes de salir, contempló con mayor detenimiento la puerta de madera que había en la pared oriental. Advirtió que, en ciertos puntos, la madera parecía carbonizada, y que en el resto estaba llena de rasguños y arañazos profundos.

—¿Qué le ha pasado a esta puerta? —preguntó.

Nestor se acercó, miró la puerta y agitó la cabeza.

—Ah, perdone —farfulló—. Haga como si no hubiera visto esa puerta. Desde que se perdieron las llaves que la abrían, le ha pasado de todo. ¿Ve esos cuatro agujeros? El señor Moore creía que eran cerraduras. Trató de abrirla de todas las maneras imaginables, pero… fue inútil.

—Y ¿adónde conduce?

El jardinero se encogió de hombros.

—¿Quién puede decirlo? Antiguamente quizá condujera a la vieja cisterna, que hoy ya no existe, o eso creo.

La señora Covenant acarició la madera ennegrecida y arañada y comentó inquieta, mirando a su marido:

—Tal vez fuera mejor poner algo delante, para que a los niños no se les ocurra tratar de abrirla.

—Bien dicho —murmuró el jardinero mientras salía cojeando de la habitación—. Es lo mejor que puede hacerse: a sus hijos no se les debe ocurrir jamás tratar de abrirla…

Capítulo (2)
- LA CORRIENTE -

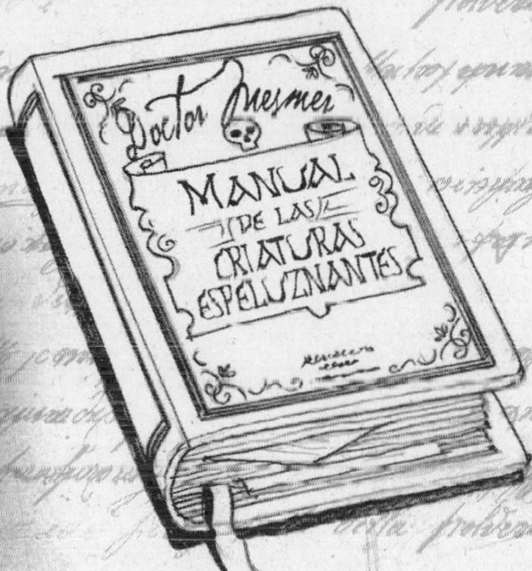

Inmóvil al pie de la escalera, Jason escuchaba atentamente. Una extraña corriente de aire traía y llevaba ruidos lejanos. Había chirridos de muebles, silbidos del viento, brincos de animales. Esa misma semana ya había tenido varias veces la impresión de que los muebles de Villa Argo estaban dotados de vida propia: en cuanto la estancia quedaba vacía, se desplazaban un milímetro. Un milímetro y no más, para que no los sorprendieran.

Pero esta vez era distinto. No podía haber sido un mueble que cambiara de lugar. Tampoco las gaviotas posadas sobre el tejado, ni los lagartos entre la enredadera o los ratones en la buhardilla. No, señor.

Esta vez había oído nítidamente un ruido de pasos apresurados en el piso de arriba. Se quedó inmóvil, atento, y los pasos se repitieron.

¡Parecía imposible que fuera el único de su familia en darse cuenta de que había alguien más en aquella casa! ¿Cómo podía ser que ni su padre, ni su madre, ni su hermana hubieran notado que había otra persona en aquella gigantesca mansión?

Jason lo había advertido de inmediato, nada más descargar las maletas en el patio.

Villa Argo era una casa demasiado grande para conocerla por entero. Una casa llena de habitaciones y secretos, de objetos fascinantes y misteriosos.

Cuando se vieron por primera vez, parecía que Villa

Argo le hubiera susurrado: «No todo es lo que parece: descubre mi secreto, Jason».

Y él había aceptado el reto.

Inmerso en la corriente de aire, Jason contempló los retratos colgados de la pared que jalonaban la subida hasta la primera planta y luego hasta la habitación de la torrecilla que remataba los escalones con su puerta vidriera. Su padre le había explicado que esos viejos rostros enmarcados eran los de los propietarios anteriores de la casa y que pronto estarían sus propios retratos colgados entre los demás.

—Ah, no, yo me niego a posar —replicó enseguida su hermana Julia, a la que angustiaba cualquier propuesta que implicara tener que quedarse quieta en un lugar durante más de quince segundos.

A Jason, en cambio, la idea le gustaba. Era muy… de personaje importante. De explorador. O cazafantasmas.

—Vale… seas quien seas… —murmuró.

¿Era posible que los pasos que acababa de oír fueran los de un fantasma?

Se sacó del bolsillo el *Manual de las criaturas espeluznantes*, recopilado por el misterioso doctor Mesmer, héroe del cómic.

Encontró la página que buscaba y se puso a leer: «No creáis que los fantasmas son mudos. Pueden producir ruidos de todo tipo (pasos, arrastrar de cadenas, campanas) y a

menudo pueden hablar. Además, no siempre son incorpó-reos».

Jason asintió animado. Aparte de confirmar sus sospechas sobre la identidad de su enemigo, esas líneas resolvían una de sus mayores dudas. Siempre se había preguntado por qué en las películas los fantasmas atravesaban las puertas pero, en cambio, nunca pasaban a través del suelo.

Siguió leyendo: «Normalmente, los fantasmas vagan por las casas en las que ha quedado algo inacabado».

Algo inacabado. Claro.

Así que podía ser un fantasma que vagaba por el piso su-perior tratando de acabar… algo.

Jason repasó velozmente los consejos del doctor Mesmer para capturar un fantasma y se volvió a meter el manual en el bolsillo.

—Y ahora voy a por ti… —siseó.

Pero en cuanto puso el pie en el primer escalón, una mano lo aferró por el hombro.

—¡Jason! —exclamó su hermana haciéndolo bajar del es-calón—. ¡Tenemos que irnos!

Jason, todavía inmerso en su juego de la caza de fantas-mas, trató rápidamente de recordar qué se suponía que es-taba ocurriendo en el mundo real.

«¿Tenemos que irnos? ¿Adónde?»

No se le ocurrió nada, pero sabía que sería imposible convencer a Julia de la existencia de un fantasma en el pri-mer piso, de modo que se dispuso a seguirla y, de pronto, recordó cuál era el programa para aquella tarde. Sus padres se iban a Londres para supervisar las últimas operaciones de la mudanza: los muebles delicados que había que embalar, el despacho de papá por organizar, los cuadros de mamá que debían bajar al sótano… y así sucesivamente. Volverían a Villa Argo el domingo por la mañana, seguidos por el camión. Mientras tanto, Julia y Jason se iban a quedar solos en Villa Argo, con la condición de que obedecieran sin rechistar al jardinero, el señor Nestor.

Habían logrado incluso el permiso para invitar a Rick Banner, un chico del pueblo que habían conocido hacía poco en el colegio. Así la espera se haría más corta.

Los gemelos salieron de la casa.

El sol, asomando entre las nubes que cubrían el cielo, caía a plomo sobre el jardín. A lo lejos, sobre el horizonte marino, se dibujaba una delicada línea blanca.

—¿Te has preguntado alguna vez por qué el cielo se vuelve blanco antes de tocar el mar?

—No —respondió Julia.

Saltó los cuatro escalones de la entrada y aterrizó en el prado; Jason la siguió y luego se volvió de pronto para mirar las ventanas del primer piso.

Esperaba sorprender al fantasma. Pero no vio a nadie.

Nestor escuchaba pacientemente las recomendaciones de la señora Covenant, pero cuando esta alcanzó el «punto número ocho» con los dedos de la mano decidió interrumpirla.

—Señora, permítame que le diga que no soy una niñera.
Y además no creo que sus hijos tengan tiempo de meterse
en todos los berenjenales que me ha enumerado. ¡Si ustedes
solo van a estar fuera una tarde…!

—Y una noche —puntualizó ella—. Como le decía, señor
Nestor…

El señor Covenant trató de acelerar los trámites dando
un ligero toque de claxon que, en lugar del efecto deseado,
enfureció a su mujer.

—¡Un momento! —exclamó molesta.

Nestor atrapó al vuelo esa segunda interrupción y dijo:

—Váyase tranquila. Sus hijos se agotarán explorando la casa de arriba abajo y esta noche estarán tan cansados que dormirán doce horas seguidas.

—Sí, pero además le quería decir…

—No, permítame. Escúcheme usted. El verano se acerca, y el parque necesita un buen repaso. Diré a sus hijos qué deben hacer y qué no, y a lo mejor les pido que me ayuden con los plantones del vivero. No puedo hacer más: ya son mayorcitos. Y aquí no hay ningún peligro.

La señora Covenant gesticulaba tratando de retomar el hilo de sus advertencias, pero Nestor no le dio ocasión:

—Ni siquiera el acantilado es peligroso. A ningún chico se le ocurriría jamás la idea de lanzarse al vacío sobre los riscos. Es posible que sean unos inconscientes, pero no hasta ese punto.

—Usted no conoce a Jason… —susurró entonces la señora Covenant.

Dejaron de hablar porque los chicos se acercaban a despedirse.

Jason caminaba de espaldas, no lo podía evitar: le interesaba más la casa que el hecho de que sus padres se fueran.

Caminando de esa manera, se tropezó con la manguera del jardín y tuvo que ejecutar media pirueta en el aire para no caer de espaldas sobre la grava.

—¿Entiende lo que le quiero decir? —suspiró su madre.

Nestor se atusó la barba blanca y sugirió:

—¿Atlético y con reflejos?

Julia lanzó los brazos al cuello de su madre y luego se agachó junto a la puerta del coche para darle un beso a su padre. Jason se limitó a decirles adiós abstraído, perdido de nuevo en una de sus fantasías.

—Entonces, por lo que más queráis… —chilló la señora Covenant subiendo al coche—. ¡Obedeced al señor Nestor y no hagáis nada peligroso!

Jason y Julia asintieron sonrientes; el viejo jardinero se limitó a hacer una mueca. El automóvil de los Covenant se puso en marcha, removiendo la grava.

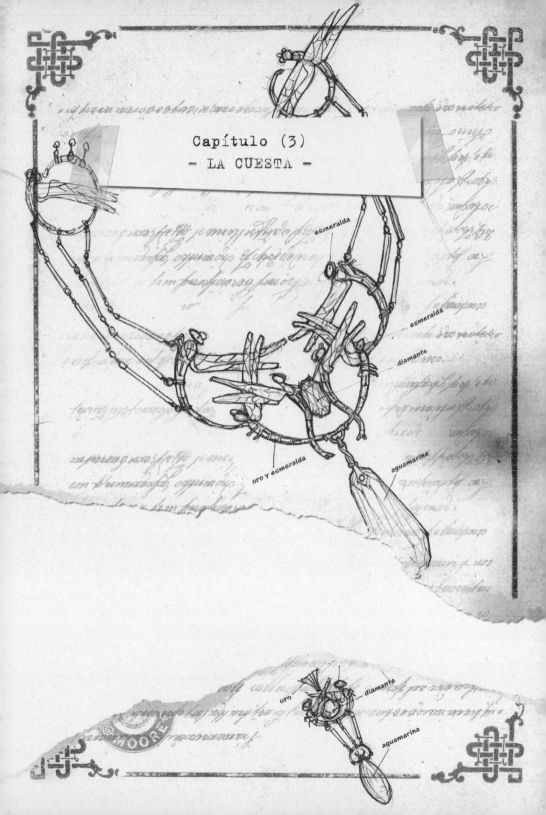

Capítulo (3)
– LA CUESTA –

esmeralda

esmeralda

diamante

oro y esmeralda

aguamarina

oro

diamante

aguamarina

Rick Banner pedaleaba furiosamente por la cuesta que llevaba al acantilado. De la frente fruncida por el esfuerzo le caían gruesas gotas de sudor sobre la camiseta. Pero él no tenía la más mínima intención de cambiar de marcha. Usar un desarrollo menor habría sido de nenas. Antes que eso, haría la subida a pie.

Sentía que le ardían las pantorrillas, pero sabía que era un fuego saludable: fortalecía los músculos. «Músculos y pulmones: no te hará falta nada más en la vida», decía siempre su padre. Y su padre había dado la vuelta completa a Inglaterra en bicicleta, desde Kilmore Cove hasta la isla de Skye, en Escocia, ida y vuelta. Y además no tenía los cambios de las bicicletas de montaña modernas, así que se había limitado a pedalear y punto.

Rick apretó los dientes y siguió presionando a fondo sobre los pedales, esperando el momento en que, sin previo aviso, la torre de Villa Argo se recortaría delante de él sobre el horizonte.

La sola idea le infundió nuevas energías: hacía años que soñaba con entrar en esa casa. Había pasado días enteros contemplándola con los prismáticos de su padre desde la ventana de su cuarto, o desde la playa, cuando la marea baja dejaba al descubierto metros y más metros de terreno cubierto de algas y Rick se atrevía a adentrarse mar adentro, tratando de observar la villa desde un nuevo ángulo.

¡Ah, la Villa Argo! La Vieja Dama sentada sobre el acantilado blanco de Kilmore Cove, una peña impregnada de

salitre que los marineros llamaban «Salton Cliff», el risco salado. ¡Cuántas historias había oído sobre aquella casa, sobre el acantilado y sobre el excéntrico propietario que la había habitado durante cuarenta años, Ulysses Moore! ¡Ya no le quedaban más que unos cuantos metros para entrar en ella!

Rick se puso de pie sobre los pedales y atacó las últimas curvas con pedaladas largas y poderosas.

Se consideraba un niño apacible, tranquilo, sin muchos de los caprichos que casi todos sus compañeros de clase consideraban indispensables. Nunca había tenido ordenador, por poner un ejemplo. Pero algunos días antes, cuando, en la escuela, la señorita Stella había presentado a Jason y

Julia a los alumnos de la única clase que se impartía en Kilmore Cove, Rick se volvió literalmente loco de alegría.

«¡Qué golpe de suerte!», pensó. Dos chicos que tenían un año menos que él, que no sabían nada de la zona y que acababan de mudarse a la villa de sus sueños… La muerte del anciano Ulysses y la llegada de los gemelos le brindaban una oportunidad nueva e increíble: visitar por fin asiduamente Villa Argo.

Mientras pedaleaba, Rick presintió una amenaza que se cernía sobre él. Un automóvil se le acercaba a toda velocidad por la espalda. Se dio cuenta de que estaba en medio de la calzada, pero no tuvo tiempo de apartarse. Oyó un furioso bocinazo y al girar bruscamente hacia la izquierda perdió por completo el control de la bicicleta.

Por el rabillo del ojo vio una carrocería cromada pasar zumbando a pocos centímetros de su rueda posterior, y luego cayó rodando patas arriba sobre la hierba.

Rick apartó el cuadro de la bici, levantándola de encima de su cuerpo con un gesto de rabia. Luego, todavía furioso, se subió a la bici en la cuneta y alzó el puño en dirección a aquel pirata de la carretera.

—¡Mira por dónde vas, caray! —le chilló.

Como si lo hubiera oído, el coche se apartó a un lado de la carretera con un chirriar de frenos. Era uno de esos automóviles enormes con cristales ahumados que suelen verse en las películas de gángsteres.

Rick tragó saliva y valoró rápidamente el estado de su bicicleta. No le parecía que se hubiera roto nada. Aferró el manillar y la levantó.

—¡No sabes cuánto lo siento! —exclamó en ese momento una voz femenina procedente del coche—. ¿Te has hecho daño?

Una mano envuelta en un delicioso guantecillo anaranjado, lleno de pulseras resplandecientes, emergió de la ventanilla posterior del coche y le hizo señas de que se acercara.

—Lo siento, pequeñuelo… —siguió diciendo la voz—. ¿Va todo bien?

Rick hizo caso omiso del «pequeñuelo» y se acercó hasta el coche lo justo para poder echar un vistazo a su interior. Vio dos largas piernas femeninas, una cascada de cabellos rubios, un grueso collar de diamantes y esmeraldas y una mirada enmarcada en unas pestañas prácticamente infinitas. Y luego le rodeó una dulcísima nube de perfume.

—Perdóname… —susurró la mujer—. Es que a veces Manfred cree que todavía está corriendo un rally. ¿Verdad, Manfred? A lo mejor deberías pedirle disculpas a nuestro joven amigo, ¿no te parece?

La puerta del conductor se entreabrió para dejar salir a Manfred. Era un joven fornido, con un rostro de bandido que asomaba de un elegante traje de rayas gris y negro. Se inclinó, envarado, y masculló unas excusas ininteligibles que a

Rick le sonaron como si hubiera dicho: «La próxima vez, si te encuentro solo, eres hombre muerto».

–Bien hecho, Manfred –lo felicitó la señorita Perfume Perturbador desde el asiento de atrás–. Vuelve a ponerte al volante. Y una vez más, mil perdones, amor…

El guante anaranjado lo saludó con un movimiento parecido a una caricia. Luego se cerró la ventanilla, Manfred puso la primera y el coche salió pitando.

«¡Diablos –pensó Rick antes de volver a sentarse sobre el sillín–, me ha llamado "amor"!»

Cuando la carretera alcanzó el llano, apareció enseguida Villa Argo. Rick lanzó la bicicleta por encima de la puerta de la verja y a continuación se puso a horcajadas sobre ella. En el parque, tachonado de árboles majestuosos, matorrales repletos de flores que empezaban a brotar y senderos, estaban las herramientas de jardinería de Nestor, que parecían abandonadas a media faena. Rick vio el coche negro que había estado a punto de atropellarlo aparcado de través en el patio de entrada.

De repente se le secó la garganta: la señorita Guantes Anaranjados estaba de pie ante el jardinero de Villa Argo gesticulando febrilmente, como enzarzada en una violenta discusión. En cambio, Nestor permanecía impasible: se limitaba a cabecear, como excusándose por algo que no dependía de él.

Rick echó pie a tierra y se quedó mirando: la mujer de la cabellera rubia centelleante puso fin a la discusión apuntando con el índice de la mano derecha al jardinero y exclamando perentoriamente:

—¡Ya veremos!

Entró en el coche como una exhalación y dio un portazo. Manfred puso el motor en marcha, maniobró rápidamente, disparando grava a su alrededor, y alejó a la enfurecidísima propietaria del coche de aquel paraje.

—¡Pronto tendrá noticias mías! —chilló aún la señorita Furia Rubia mientras el coche pasaba rozando la bicicleta de Rick.

Este miró cómo se alejaba el coche y luego dio las dos últimas pedaladas hasta llegar al patio. Nestor barría furiosamente la grava que había volado sobre la acera y la volvía a poner en su sitio.

—Una mujer con carácter, ¿eh? —comenzó Rick mientras se plantaba a algunos pasos del jardinero.

Nestor lo miró como si quisiera fulminarlo, pero luego pareció reconocerlo y le dedicó una sonrisa tensa:

—¿Oblivia Newton? Olvídate de ella, chico, es lo mejor que puedes hacer —dijo.

Respiró profundamente y se calmó por completo.

—Tú debes de ser Rick Banner —dijo—. Sé que los gemelos te están esperando. Creo que están dentro, por algún sitio...

Rick miró atemorizado la entrada de Villa Argo.

—¿A veces te bajas del sillín? —le increpó Nestor viendo que Rick no se decidía a entrar—. Si quieres encontrar a los gemelos, entra por ahí y llámalos.

Luego se alejó cojeando, visiblemente molesto, y se puso a estudiar los surcos que habían dejado los neumáticos del automóvil en el camino de entrada.

—Vale, gracias —le dijo Rick a modo de despedida.

Se bajó de la bici, la apoyó sobre el caballete y subió los escalones que le iban a conducir por primera vez en su vida al interior de la mansión. A los pocos segundos, su bici cayó a tierra con un estrépito metálico inquietante. Rick se sobresaltó y dio marcha atrás.

Fue entonces cuando se dio cuenta de que el caballete se había doblado al caerse en la cuneta. Bufando, apoyó la bici sobre un murete.

Habría querido decirle al jardinero que también él tenía una buena razón para odiar a Oblivia Newton, pero, por más que miraba, no lograba ver ningún rastro de Nestor.

—Cojo pero rápido… —murmuró entre dientes.

Y esta vez entró.

Capítulo (4)
- DENTRO DE LA MANSIÓN -

La primera habitación en la que se vio Rick era una mezcla de soportal, biblioteca y saloncito, y daba al mar. Tres grandes ventanales se abrían sobre el acantilado, inundando el ambiente de luz. Sobre algunos estantes colgados de la pared se amontonaban libros y revistas y en una mesa de cristal había periódicos. En el centro de la sala se erguía una estatua de tamaño natural que representaba a una mujer remendando una red de pescar extendida sobre sus rodillas. La pescadora miraba un punto fijo en el mar con expresión soñadora.

—¿A que es hermosa? —le preguntó en ese momento Jason, que apareció a sus espaldas.

—Hola…

—Hola.

Con dos palmadas en los hombros dieron por terminado el saludo, como si se conocieran de toda la vida. Dieron una vuelta alrededor de la estatua.

—Mi madre ha dicho que no se puede mover de aquí.

—¿Por qué?

—Porque es lo que había dicho el antiguo propietario… —Jason acarició la red de bronce mientras echaba un vistazo a Rick—. Dicen que Ulysses Moore era un poco extraño.

—Eso dicen.

—Pero ahora que ha muerto… si es que ha muerto…

Rick frunció el entrecejo.

—¿Qué quieres decir con «si es que ha muerto»?

—Quiere decir que mi hermano es demasiado fantasioso —los interrumpió Julia—. ¡Hola, Rick, bienvenido!

Esta vez el saludo se redujo a dos manos levantadas a considerable distancia y un par de sonrisas tímidas.

Salvo por el hecho de ser chico y chica, Jason y Julia eran idénticos: el mismo pelo claro, los mismos ojos, los mismos hoyuelos a cada lado de la boca. Ella era simplemente un poco más alta y robusta que Jason, como si se hubiese dado más prisa en crecer.

Julia se tumbó sobre uno de los sillones que rodeaban la estatua de la pescadora y prosiguió:

—Si haces caso a Jason, nuestro viejo jardinero podría ser un asesino en serie que se hubiera retirado a vivir aquí, donde a nadie se le ocurriría jamás venir a buscarlo.

Jason hizo una mueca, tratando en vano de cambiar de tema.

—A mi hermano le encanta inventarse historias inverosímiles —insistió Julia.

—Podría ser una ventaja, aquí, en Kilmore Cove... —respondió Rick.

Julia se puso tensa, alarmada ante la perspectiva de que en Kilmore Cove nunca pasara nada.

—En cualquier caso —dijo Rick—, este sería un lugar perfecto para esconderse. Quiero decir, ¿a vosotros qué os parece? ¿Cuántas habitaciones tendrá esta casa? ¿Cien?

A Jason se le iluminó el rostro.

—¿Puedo contarte un secreto? Yo creo que en esta casa...

–¡No empieces! –saltó Julia.

Pero ya había lanzado el anzuelo.

–En esta casa… ¿qué? –preguntó Rick.

–Creo que hay un fantasma –concluyó Jason satisfecho.

–¿Tú crees en los fantasmas? –preguntó Julia poniendo los pies sobre un sillón.

Rick comprendió que se trataba de una pelea entre hermanos. Pensó cuál sería la mejor respuesta para no defraudar a Jason ni parecerle un tontaina a Julia.

–¿Por qué dices que hay un fantasma? –le preguntó a Jason.

–Lo he oído caminar en el piso de arriba en un momento en que en casa no debía haber nadie. Oí pasos, ¿vale?

Julia hizo una mueca:

–Ya, y esta noche habrá también arrastrar de cadenas, gritos, carcajadas repentinas…

–¿Por qué te pones así, Julia? Te digo que he oído pasos en el primer piso. Yo estaba en la planta baja. Tú estabas en la planta baja. Los demás estaban todos fuera y…

–Lo que debes saber, Rick –le interrumpió Julia–, es que Jason lee un montón de tonterías. ¿Has visto los cómics de ese tipo de Londres que caza monstruos?

Rick sacudió la cabeza. Nunca le habían gustado los cómics de monstruos.

–¡Para ya! –exclamó Jason, enojado porque Julia se había referido al mítico doctor Mesmer como «ese tipo de Londres». Así que dio a Rick un par de informaciones verídicas al respecto, pero al parecer el chaval de Kilmore Cove nunca había oído hablar de él. ¿Cómo era posible que existiera un adolescente inglés que nunca hubiera oído hablar del doctor Mesmer?

—En cualquier caso… —añadió Julia—, como tiene la cabeza llena de vampiros, hombres lobo y fantasmas, Jason cree que en Villa Argo habita uno. Y está incluso convencido de saber cuál es su identidad.

—¿En serio?

Jason asintió:

—Es el fantasma del viejo Ulysses.

A Rick se le escapó un escalofrío.

—Y… ¿por qué había de estar su fantasma todavía aquí?

—Porque se ha dejado algo por acabar —respondió Jason.

Rick miró a Julia, que le indicó por señas que le siguiera la corriente a su hermano.

—Claro —dijo entonces Rick—. Algo por acabar. Pero ¿qué?

—Eso todavía no lo he descubierto. Me falta mucha información. Hace menos de una semana que estoy en Kilmore Cove y no conozco bien esta casa.

—Claro —convino Rick—. Es enorme.

—Tendríamos que explorarla habitación por habitación… —sugirió Jason—. Y hacer un plano detallado.

—¡Jason! —exclamó Julia—. ¡Seguro que el pobre Rick no ha venido hasta aquí para explorar nuestra casa!

—¡No, qué va! ¡Sería estupendo! —se le escapó a Rick, emocionado ante la idea—. Para ser sincero, yo esta casa la

he explorado casi todos los días… aunque desde fuera. Para mí sería como un sueño. Puñetas, el solo hecho de estar aquí, con esta estatua y los libros y vosotros… —Observó fijamente la puerta que conducía a las habitaciones interiores—. Si estáis de acuerdo, yo voto por la exploración.

—¡Papel y lápiz para el plano! —saltó Jason—. ¡Esperadme aquí!

Dejó a Julia y Rick en la sala porticada y subió la escalera para buscar lo que le hacía falta.

Cuando se quedaron solos, Julia se puso a mirar el mar encrespado y salpicado de espuma blanca.

—No me has llegado a decir si crees o no en los fantasmas… —le preguntó a Rick sin volverse a mirarlo.

Rick se apoyó en la estatua de la pescadora, que le pareció fría y sólida al mismo tiempo.

—Mi padre decía que los fantasmas existen… —contestó—. Y que cada uno tiene el suyo.

Julia dio media vuelta.

—¿Y el tuyo cuál es?

—Mi padre —respondió Rick con los ojos fijos en un punto indefinido y una mirada repentinamente endurecida—. Murió en el mar… hace dos años.

Permanecieron en silencio hasta que volvió Jason.

Capítulo (5)
- EL PLANO -

Comenzaron a explorar el primer piso en busca del fantasma y luego descendieron a la planta baja. Instalaron su base en la habitación de piedra, la más antigua de la casa, donde se pusieron a dibujar y consultar su primer plano de Villa Argo.

—Hay tres chimeneas… una en la cocina, una aquí y la otra fuera. Tres cuartos de baño. Dos comedores. Cuatro salas de estar. Cinco dormitorios. Una biblioteca, otra que no llega más que a media biblioteca y un… ¿qué has puesto aquí, Julia?

—«Estudio profesional»: es la habitación con la escribanía de madera junto a la biblioteca, la que tiene el techo decorado con frescos.

—Es un «estudio profesional», como lo llama Julia… —concluyó Jason.

—¿Esta escalera es la de los retratos? —inquirió Rick indicando un punto sobre el plano.

—No, esa es la que va al sótano.

Rick asintió. En realidad, el sótano era una inmensa y polvorienta habitación atiborrada de muebles y objetos apilados, de forma que solo quedaba libre un paso estrecho entre ellos. No la habían explorado atentamente, porque a todos les había parecido un sitio un poco lúgubre. Julia había declarado que, si hubiese existido, al fantasma del viejo propietario no se le habría ocurrido jamás esconderse ahí abajo. Todos estuvieron de acuerdo y abandonaron la inspección.

Jason sostuvo el plano bien desplegado delante de él y se metió el bolígrafo en la boca.

—Mmm… Nos falta solo la habitación de la torrecilla que hay al final de la escalera. Y luego habremos acabado.

—Ah, la habitación del faro… —murmuró Rick.

—¿Por qué la llamas así?

—Porque por la noche Ulysses Moore estaba siempre ahí arriba. La luz de esa habitación permanecía encendida hasta muy entrada la noche y parecía que quisiera competir con el otro faro, el verdadero, que está en la otra punta de la bahía.

Se quedaron un rato callados, tratando de imaginar la luz de la torrecilla en la oscuridad, sobre el acantilado.

—Pero ¿cómo era el viejo propietario, Rick? —le preguntó Julia.

Rick se encogió de hombros.

—En realidad no lo sé —respondió—. Y no creo que en Kilmore Cove lo sepa nadie.

Los dos gemelos se miraron extrañados.

—Era muy… original. ¿Sabéis lo que quiero decir? —continuó el chico pelirrojo—. Y también sumamente reservado: pensad, por ejemplo, que nunca bajó al pueblo.

—¿En cuarenta años?

—En cuarenta años.

—Pero ¿será posible?

—No me lo preguntéis a mí. Estaba casado. Mi madre conoció a su mujer, que de vez en cuando bajaba a hacer

los recados, a comprar pescado, a recoger el correo… en fin, las cosas que normalmente se hacen en un pueblo. Él, en cambio… nunca se dejó ver. Y después de que muriera su mujer…

—¿Cómo murió?

Rick cabeceó.

—No lo sé, de verdad. Pero después de la muerte de su mujer Ulysses Moore empezó a enviar al jardinero a hacer los recados.

—¿Nestor?

—Nestor. Por lo que sé, Nestor estaba al servicio de Villa Argo cuando vivía la señora, y después de su muerte la fue sustituyendo poco a poco. Bajaba al pueblo en motocicleta, porque con el pie que tiene no podía conducir el coche, y hacía todos los recados por cuenta del viejo señor Moore.

—Y él… ¿no salía nunca de aquí?

A Julia se le erizó el vello solo de pensarlo.

—No. Dicen que tenía una barca, una barca grande anclada en una pequeña cala justo al pie del acantilado.

—¡Es cierto! ¡He visto unos escalones de madera que van hacia abajo! A lo mejor todavía está…

Rick negó con la cabeza: si aún hubiera habido una barca, sin duda la habría visto desde su casa.

—Pero ¿por qué no bajaba nunca al pueblo? —se preguntó Julia retomando el hilo de la conversación—. ¿Y por qué no lo ha visto nunca nadie?

—Se dice que tenía la cara desfigurada por una horrenda cicatriz que le atravesaba el rostro y que le daba vergüenza. Y punto: es todo lo que sé.

Julia tuvo una idea magnífica.

—¡En la escalera están los retratos! —exclamó agarrando de golpe a Jason por el brazo.

Este estuvo a punto de tragarse el bolígrafo que estaba mordisqueando. Se le cayó de la boca y se fue rodando hasta parar bajo un viejo armario.

—¡Eh, calma! —protestó.

Pero Julia seguía absorta en su intuición:

—A lo largo de la escalera están colgados los retratos de todas las personas que han vivido aquí… ¡Vamos a ver el rostro desfigurado del viejo Ulysses!

Curiosos ante la perspectiva de una visión horripilante, Rick y Julia salieron en tromba de la habitación de piedra. Jason, en cambio, se agachó para buscar su bolígrafo bajo el armario.

—¡Demonios! —exclamaron Julia y Rick poco después—. ¡Jason, ven a ver esto!

Jason se olvidó al instante del boli y se reunió con ellos en la escalera.

—Demonios… —susurró también él.

En la parte superior de la escalera de los retratos faltaba un cuadro. En su lugar había una mancha más clara sobre la pared.

—Falta justamente su…

—Lo han robado…

—Se lo han llevado…

—¿Por qué? ¿Y quién habrá sido?

—¿Lo habéis oído también vosotros?

—No, ¿el qué?

—Yo sí. Pero tú, ¿qué has oído?

—No sé, parecía un…

—¿De dónde venía?

—¡Eh, chicos! —exclamó Julia—. Yo no he oído nada.

Y entonces también lo oyó ella. Era un ruido sordo, blando, como de pasos.

Los tres se volvieron lentamente hacia la puerta vidriera que había al final de los escalones.

Era la puerta que conducía a la habitación de la torrecilla. La habitación del faro.

El ruido provenía de allí.

Se quedaron escuchando lo que les pareció una eternidad, pero no oyeron nada más. Se acercaron a la puerta parapetándose uno tras otro. El espejo reflejó su imagen: tres chicos que subían lentamente, titubeando, los últimos escalones.

Jason alargó el brazo, asió el pomo de la puerta e hizo saltar el pestillo: la puerta vidriera se entreabrió lo justo para que pudiera echar un vistazo al interior.

—Bueno, ¿qué ves? —susurraron los otros dos, a su espalda.

Jason vio una habitación limpia y ordenada, con una gran mesa en una esquina entre dos de las ventanas que daban al mar, una colección de maquetas de barcos y algunas revistas apiladas en el suelo. Desde aquel lugar, por los otros ventanales, la vista del acantilado, Kilmore Cove y el parque era sobrecogedora.

—Nada... —murmuró Jason empujando la puerta lo justo para poder entrar con los demás—. Absolutamente nada.

—Pero ¿cómo es posible? —se preguntó Julia.

En ese preciso instante se repitió el ruido de pasos.

«Tum-tum, tum-tum.»

Solo que no eran pasos: una de las ventanas estaba entornada y, de vez en cuando, chocaba contra la jamba, produciendo ese ruido rítmico que Jason primero y luego los demás habían confundido con pasos.

—Esto explica el misterio del fantasma... —admitió Jason, un poco desilusionado.

—El fantasma de la ventana abierta... —dijo Julia sonriendo, fascinada por el panorama impresionante que se contemplaba desde esas alturas.

Jason exploró con la mirada el parque de Villa Argo: vio la puerta de la verja, el camino cubierto de grava, la casita de madera apartada en la que vivía Nestor.

Rick, en cambio, se sentó a la mesa, saboreando unos instantes la idea de ser el propietario de la casa. A sus pies, el acantilado blanco contra el que chocaban las olas marinas caía a pico y, por encima de su cabeza, las nubes se enma-

rañaban en el cielo, formando ovillos cada vez más intrincados. Acarició con los dedos una de las numerosas maquetas de veleros que había sobre un arcón y que formaban una pequeña flota construida pacientemente a mano.

–Qué bien comprendo al viejo Ulysses… –dijo–. Qué fácil debe de ser sentarse a esta mesa, coger un poco de pegamento, madera e hilos… y matar las horas.

Una ola especialmente violenta chocó contra los escollos y provocó una explosión de espuma.

–¡Vamos a darnos un chapuzón en el mar! –exclamó Julia.

Y, sin esperar respuesta, se fue a su habitación a buscar un traje de baño.

Capítulo (6)
- UN CHAPUZÓN EN EL MAR -

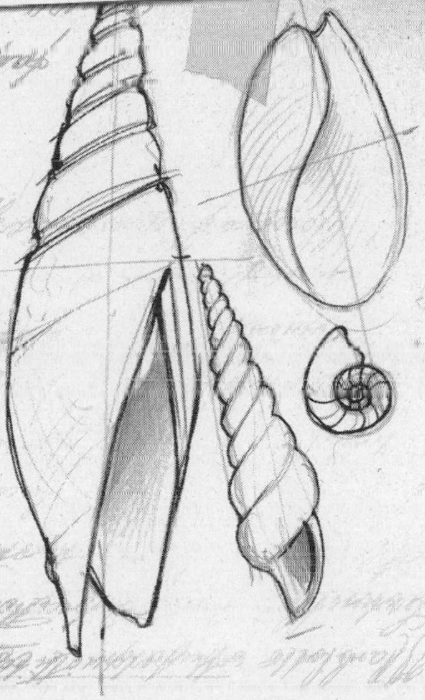

*F*uera se encontraron con Nestor. El viejo jardinero los miró de arriba abajo con ojos asesinos y les preguntó:

—¿Adónde creéis que vais?

En realidad, era una pregunta superflua. Los chicos llevaban cada uno su toalla y su traje de baño. Rick lo había tomado prestado de Jason, por lo que le quedaba visiblemente pequeño.

Sin esperar respuesta, Nestor dejó en tierra la azadilla con la que trabajaba y exclamó:

—¡Quietos ahí, que no se mueva nadie!

—¡Pero señor! —gritaron los gemelos casi al unísono.

—No deis un paso más. En ninguna dirección —insistió el viejo, que dio media vuelta y se dirigió cojeando rápidamente hacia su casita.

Entró en la casa y salió al cabo de un rato con un trozo de tela en la mano. Volvió junto a los chicos y se lo lanzó a Rick. Era un traje de baño más ajustado a su talla.

—Ponte esto, te irá mejor —le aconsejó.

Luego les dio la espalda y volvió a concentrarse en su azadilla.

Julia se quedó de piedra.

—Pero ¿no tiene nada más que decirnos? —protestó.

A sus espaldas, Rick se ponía el traje de baño.

—¿Y qué se supone que os tengo que decir? —El jardinero le dirigió una mirada distraída, levantó una pequeña begonia y le dio la vuelta con los dedos como si fuera una piedra preciosa—. ¿Algo del tipo «¡Por el amor de Dios, tened cuidado con la escalinata!»? ¿O bien «No os bañéis si habéis comido hace menos de tres horas»? —Miró a Julia levantando con impertinencia las cejas—. ¿Es eso lo que os tendría que decir?

—Supongo… que… sí —balbució ella.

—De acuerdo —dijo él gesticulando teatralmente—. ¡Por el amor de Dios, tened cuidado con la escalinata y no os bañéis si habéis comido hace menos de tres horas! Y ahora, si no os molesta, ¡desapareced de mi vista! —Les enseñó la begonia y añadió—: Me gustaría acabar con estas plantas antes de que caiga el diluvio.

—¡Pero si hace sol! —soltó Jason.

—Y aquí viene la tercera recomendación: si estalla una tormenta, ¡salid del agua! Y ahora largo, ¡vamos! Se baja por ahí.

No hizo falta que se lo repitieran a ninguno de los tres.

—No he visto nunca a un adulto como este… —masculló Julia bajando con cautela los escaloncillos que conducían al mar.

Había que ir con cuidado, porque era realmente peligroso bajar al pie del acantilado: la escalinata estaba formada por tramos de escalones excavados directamente en la roca, que alternaban con pasarelas de madera o de metal, por debajo de las cuales se veía la espuma del mar bailar furiosa-

mente entre los escollos. Además, desde la cima del acantilado era fácil ser presa del vértigo, porque parecía que se caminara sobre el vacío. Julia avanzaba con mucho tiento, agarrándose con las dos manos a las barandillas de cuerda, mientras el viento le revoloteaba por el pelo, arrastrando consigo un sutil aroma de algas y arena mojada. Cuanto más bajaba, menos le impresionaba la altura. Pero los escalones se volvían cada vez más húmedos y resbaladizos.

—En cambio, a mí me parece que Nestor es un gran… —comentó Jason.

—Debería controlarnos un poco, ¿no os parece? —insistió Julia—. A fin de cuentas, no somos más que niños, y los niños pueden hacer tonterías…

—Tú a lo mejor.

Los dos gemelos estuvieron discutiendo sin parar durante toda la bajada. Rick, que caminaba detrás, echaba de cuando en cuando una mirada a sus espaldas, como si tratara de sorprender algo indefinido. Tenía la sensación de que lo observaban… Una vez le pareció incluso advertir el reflejo de una luz. Y le bastó ese reflejo para imaginar que Nestor, que en el fondo era un buen tipo, los estaba vigilando con unos prismáticos.

Confortado por esa idea, siguió los pasos de los gemelos.

Finalmente, los tres llegaron a una caleta apartada: una lengua de arena encajonada entre dos hileras de escollos, protegida del viento y de las miradas curiosas. Villa Argo se erguía por encima de ellos, bañada por el sol. Las gaviotas revoloteaban por los nidos construidos en los recovecos del acantilado, lanzando sus chillidos guturales.

El color predominante en aquel rincón del mundo era el blanco.

Julia fue la primera en dejar la toalla sobre la arena y lanzarse al mar. El agua estaba helada pero resultaba tonificante.

Desapareció bajo la superficie y volvió a emerger diez metros más lejos.

–¡Venid! –gritó, recogiéndose el cabello en la nuca–. ¡Es fantástico!

Tenía razón: el fondo arenoso de la cala se adentraba en el mar, que cubría poco durante un buen trecho. El agua, protegida por los riscos que de vez en cuando se aureolaban de espuma y arco iris minúsculos, estaba tranquila. El sonido de las olas era sugerente, casi mágico.

Rick también se tiró al agua y nadó con brazadas poderosas, para demostrar que tenía «músculos y pulmones», y calentarse lo bastante para dejar de tener la carne de gallina.

Jason, en cambio, se quedó en la orilla con los brazos cruzados, el agua hasta las rodillas y una expresión enojada.

–¡Muévete, cobardica! –le gritó su hermana, nadando junto a Rick–. Siempre ha sido así –le explicó–. O el agua está a cuarenta grados, o no hay nada que hacer.

Rick sonrió. Las gotitas de agua que tenía Julia sobre el pelo parecían pequeñas perlas.

–En ese caso solo se puede hacer una cosa… –susurró.

Desde la orilla, Jason comprendió instintivamente que estaba a punto de pasarle algo terrible. Trató de echar a correr, pero no le sirvió de nada: lo alcanzó por la espalda una ráfaga de agua helada que le hizo gritar de desesperación.

Nestor, en la cima del acantilado, sonrió.

Oyó los gritos de Jason mezclados con las risas de Julia y Rick y comprendió que los tres habían llegado a la playa sanos y salvos. Era hermoso volver a oír niños en la casa. Eran una carga añadida, sin duda, pero ahora sí le parecía que merecía la pena ocuparse del jardín y plantar flores de todos los colores, que uno de ellos aplastaría de un balonazo mal dirigido. Iba a ser agradable despertarse por la mañana e imaginar lo que pasaría cada día: sus preguntas, su curiosidad. Y si además eran de verdad tan valientes como él esperaba que fueran… ¡quién sabe!

De momento solo habían traído consigo el ruido de sus risas transportadas por el viento… y las risas ya eran algo maravilloso para Villa Argo.

–No hay nada mejor… –murmuró–. Nada mejor.

Y siguió enterrando tranquilamente los dedos en la tierra fresca, buscando el lugar más adecuado para las raíces minúsculas de sus begonias.

Y no llevaba prismáticos encima.

Más tarde, Jason, Julia y Rick se tumbaron boca abajo sobre las toallas, alineando ante ellos algunos de los tesoros que habían extraído de la arena: dos piedras de un azul celeste vivo, cinco guijarros redondos y blancos, una miríada de conchas rotas y un trozo de madera con un pasador de hierro pegado. Para alcanzarlo se habían alejado hasta el límite de los escollos, donde el fondo se hacía profundo y la corriente empezaba a notarse.

Rick había considerado más prudente no ir más allá, y los gemelos le habían dado la razón. A fin de cuentas, tenían un espacio reservado de aguas remansadas en el que inventar sus propios juegos. Jason prometió que la próxima vez llevaría un balón.

Julia se quedó a tomar un poco el sol, mientras Rick y Jason exploraban las rocas. Enseguida descubrieron otra pequeña playa, donde encontraron los restos de un muelle de madera del que colgaban algunas cuerdas de amarre. Las pasarelas y las tablas estaban casi todas podridas, pero aquel muelle era la prueba de que el viejo Ulysses había amarrado ahí su embarcación.

Jason se puso a fantasear sobre las hazañas de Ulysses y, acompañado por Rick, fue a darle la noticia a Julia, que mientras tanto se había aburrido mortalmente de tomar el sol.

En el relato de Jason, la aventura de las rocas y el descubrimiento del muelle asumían proporciones épicas. Mientras trataba de convencer a su hermana de que se había en-

frentado a un pulpo dos veces mayor que él, Rick sintió que una gota de agua le caía sobre la cara.

Levantó la vista y vio que en ese instante una nube negra pasaba por encima de ellos.

—Parece que el señor Nestor tenía razón —comentó—. Se acerca la lluvia.

—¡Yo también lo he notado! —exclamó Julia.

Jason dejó de representar con mímica su lucha contra el pulpo y observó la larga serie de escalones que se encaramaban hasta la mansión.

—¿Volvemos? —preguntó tragando saliva.

—Es mejor que sí —decidieron Julia y Rick.

A regañadientes, Jason se ató la toalla húmeda en torno a la cintura.

La lluvia los sorprendió a las pocas rampas, fría como el hielo. Los escalones se volvieron resbaladizos de inmediato. Jason se cansó pronto de aquella interminable subida bajo la lluvia y echó a correr.

—¡Nos vemos arriba! —gritó con chulería.

Julia se volvió buscando apoyo en la mirada serena de Rick, que caminaba por detrás de ella. El chico, cuyos cabellos pelirrojos pegados en la frente dibujaban signos de interrogación, se encogió de hombros, como diciendo «Déjalo que corra».

Pero de repente se quedó inmóvil.

Por delante de ellos, Jason perdió el equilibrio. En ese preciso instante, el cielo descargó un rayo formidable, que se abatió sobre el mar como un puño blanco.

—¡No! —gritó Julia—. ¡Jason!

Capítulo (7)

- LA HENDIDURA -

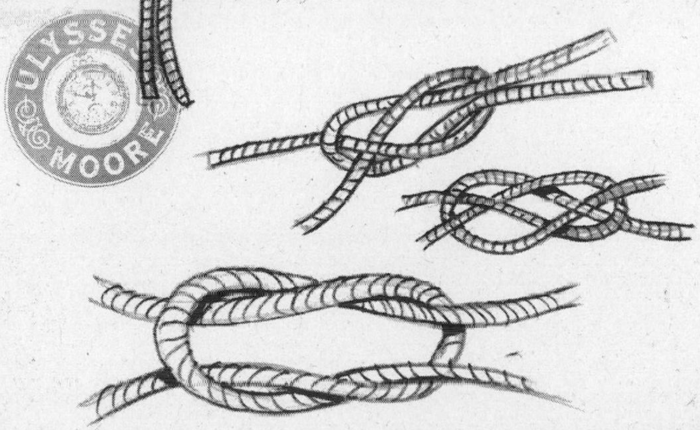

ientras resbalaba, Jason sintió el latigazo del
rayo, que bañó de una luz blanca y eléctrica
todo el acantilado de Salton Cliff. Luego empezó a caer.

Caía raspándose contra las piedras blancas del acantilado,
como si le pasaran un rallador por el pecho. Iba explorando
las rocas con las manos y, sin saber cómo, consiguió deslizar
una de ellas por una grieta.

Se aferró al borde con los dedos. Logró detenerse y
aguantar.

Había dejado de caer.

Estaba colgando sobre el vacío, agarrado con las manos a
una grieta de la roca.

Julia y Rick acudieron corriendo al lugar del que había caído Jason.

—Jason, ¿aguantas? —sollozó Julia sin saber si desesperarse
o alegrarse porque su hermano seguía ahí, vivo, aferrado a
un asidero incierto.

Le llegó un gemido sofocado.

—¡Saquémoslo de ahí, vamos! —gritó Julia apartándose el
pelo mojado de los ojos.

—Es lo que estoy tratando de hacer… —gritó Rick por
toda respuesta—. ¡Ayúdame a atar las toallas!

Julia se dio cuenta de que no era capaz de hacer prácticamente nada. Recogió mecánicamente la toalla de Jason,

pero Rick se la tuvo que quitar de las manos. Luego la ató a las otras dos con un nudo de los que le había enseñado a hacer su padre.

—¡Ya estamos, Jason! ¡Ya casi estamos! ¡No desesperes! ¡Llegamos enseguida! —insistía nerviosamente Julia, incapaz de apartar los ojos de su hermano.

Jason dijo algo, pero el ruido del temporal le impidió oírlo.

—¿Qué has dicho? ¡Resiste! ¡Vamos a buscarte!

—¡… osa… ana! —chilló de nuevo Jason, pegado a la roca como una lapa.

Rick se acercó al pretil y lanzó hacia abajo la cuerda compuesta por las tres toallas atadas. Luego se puso de puntillas y gritó:

—¡Cógela!

Julia no se atrevió a preguntarle si estaba seguro de que los nudos, hechos con tanta prisa bajo la lluvia, aguantarían.

Colgado de una grieta de la roca a veinte metros de altura sobre el mar, bajo una lluvia violenta, Jason se sentía perfectamente lúcido y despierto. Y absurdamente tranquilo. Sabía exactamente lo que tenía que hacer.

Ante todo, había dado con dos hendiduras lo bastante grandes para poner los pies, se había izado ligeramente y había relajado los brazos. Había logrado incluso mante-

nerse en equilibrio únicamente sobre las piernas, sin tener que contar con las manos. Se serenó y pudo levantar la vista.

Veía a su hermana chillando algo incomprensible. En realidad, estaba convencido de que habría logrado trepar y alcanzar la pasarela por sí solo. Bastaba con moverse con calma, a pesar de la lluvia, y encontrar los asideros justos, como había encontrado la hendidura que le había salvado la vida.

La hendidura… Mirándola con más atención, Jason se dio cuenta de que no era una simple hendidura, sino que más bien parecía una abertura, del tamaño de una gaviota pero con cuatro lados regulares, como si la hubiera… excavado un hombre. Era profunda como un nicho. Y estrecha como un tragaluz.

Pero no era un nicho. Y tampoco un tragaluz.

—¡Hay algo extraño! —gritó en dirección a los otros dos, bajo la lluvia.

Sentía los dedos de los pies palpitar contra la roca.

Palpó el interior de la abertura con una mano mientras se sujetaba con la otra.

Y encontró roca. Ni más ni menos que roca.

Y luego tocó una superficie friable, que se deshizo al tacto. Algo pesado se movió entre sus dedos. Jason se asomó para ver y, por un instante, tuvo la impresión de que más allá de la grieta había… vacío.

Un espacio abierto.

Retiró rápidamente la mano y se dio cuenta de que entre los dedos llevaba una especie de pequeño azulejo envuelto en un tejido suave.

El borde de una toalla le rozó la mejilla. Jason se estremeció de miedo y estuvo a punto de soltar el azulejo.

—¡Cógela! —gritó Rick, unos metros por encima de él, sujetando el otro extremo de aquella cuerda hecha de toallas.

Jason se metió el extraño objeto en el traje de baño, agarró la cuerda improvisada preparada por Rick y comenzó a trepar.

La subida duró muy poco, pero a Julia le parecieron horas.

Cuando Rick puso a salvo a Jason agarrándolo por el brazo, Julia estuvo a punto de desmayarse de felicidad.

—¿Estás bien? —le preguntó con un suspiro.

Jason tenía el pecho cubierto de rasguños y heridas.

—Sí, claro —respondió él despreocupado—. ¡Mirad lo que acabo de encontrar!

Y al mismo tiempo se sacó del traje de baño el extraño objeto que había hallado.

Un rayo estalló a lo lejos en el horizonte.

—¿Qué es? —preguntó Rick gritando, para hacerse oír en medio de la tormenta.

—¡No lo sé! —chilló Jason por toda respuesta—. ¿A que es extraño?

Julia sintió que iba enfureciéndose. Después de unos momentos interminables en que había pensado, aterrorizada, que Jason se iba a matar estrellándose contra los escollos, ahora lo tenía delante, cubierto de heridas pero absorto en la contemplación de «algo extraño» que «acababa de encontrar».

—¡Perdona, eh! —le gritó—. ¡Perdona que nos hayamos preocupado por ti! No sabíamos que lo único que querías era recuperar eso… ese… chisme.

Dicho lo cual comenzó a subir furibunda los escalones que conducían a Villa Argo.

—Pero ¿qué mosca le ha picado? —preguntó Jason.

Rick le puso una mano sobre los hombros.

—Le ha picado que está contenta de ver que no te ha pasado nada… aparte… aparte de los arañazos, obviamente.

—¿Arañazos? ¿Cuáles? —Jason se miró el pecho por primera vez y la lucidez lo abandonó al instante—. ¡Vaya! —exclamó, sintiendo de repente las piernas de gelatina—. ¿Y cómo me los he hecho?

Rick le propuso regresar a casa y dejar el accidente para más tarde. Subieron con cuidado los escalones y, cuando hubieron llegado a la cima, Rick le aconsejó que se tapara las heridas con las toallas.

—Si Nestor se entera de lo que ha ocurrido —murmuró—, no volverá a dejarnos bajar a nadar.

Jason asintió.

Su amigo tenía toda la razón del mundo.

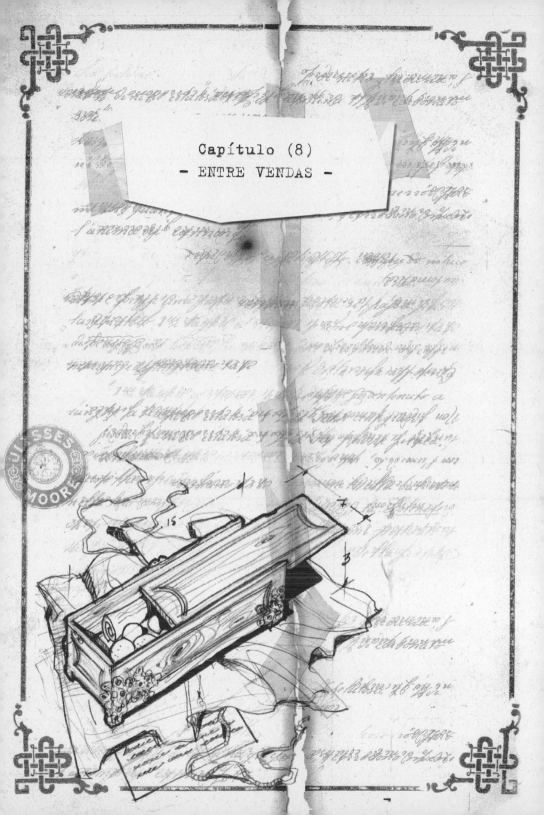

Capítulo (8)
- ENTRE VENDAS -

En la cocina, Jason aulló:

—¡Aaah, quema!

—¡Chsss…! ¡Estate calladito! —lo regañó Julia—. ¿O prefieres que vaya a llamar a Nestor?

—Pero, diantres…

—¡Quieto o te hará el doble de daño!

—¡Imposible! ¡Aaaah!

Rick se carcajeaba, disfrutando de la escena.

Jason estaba sentado a la mesa de la cocina. Julia, de pie ante él, le desinfectaba las heridas con algodón y agua oxigenada. A pesar de su aspecto, ninguno de los rasguños era profundo: eran pequeños arañazos y hendiduras en la piel, el tipo de heridas sobre las que más escuece el agua oxigenada.

Jason apretó los dientes para no seguir chillando y se esforzó por preguntar a Rick:

—¿Has… has averiguado qué es?

Sobre la mesa que había entre ellos descansaba el objeto misterioso hallado en el acantilado.

—¡Ya está! —exclamó Julia. El pecho de su hermano estaba limpio y brillante de desinfectante—. Tienes que esperar a que se seque un poco, antes de…

No pudo terminar la frase. Rick retiró el trozo de tejido que envolvía el objeto misterioso y Jason, demasiado curioso para esperar que el desinfectante se secara, se bajó de la mesa y se puso una camiseta seca a la velocidad del rayo.

El tejido se pegó a las heridas como una segunda piel y Julia hizo una mueca de dolor, imaginando el momento en que su hermano tendría que quitarse la camiseta.

—¡Son vendas! —exclamó Rick, que seguía sacando tejido y desenrollando las tiras, que se rompían enseguida. Estaban húmedas y podridas.

Julia dejó el algodón y se acercó. Rick siguió desenvolviendo con cuidado.

—Me parece que es una caja —comentó Jason cuando el objeto quedó completamente liberado del tejido.

Era un paralelepípedo de madera oscura, de unos quince centímetros de largo, siete de ancho y tres de alto.

—Se abre... —dijo Rick.

Hizo presión sobre la tapa superior, deslizándola hacia abajo.

—¿Qué hay dentro?

Cuando lo vieron, los tres fruncieron el entrecejo.

Dentro de la caja había centenares de bolitas de barro y un minúsculo pergamino enrollado, sujeto por un cordelillo. Bastó con que Rick lo rozara con los dedos para que el cordel se disolviera.

—Despacio... —murmuró Jason—. ¿Qué será?

—A lo mejor has encontrado el equivalente medieval de una caja de bombones, Jason... —comentó maliciosamente su hermana.

Con suma lentitud, Rick extendió el pergamino sobre la mesa.

Se podían ver dibujos y símbolos extraños:

El temporal se alejó con la misma velocidad con la que había llegado. Entre las nubes asomó tímidamente el sol, iluminando las gotas de lluvia que habían quedado colgando de las ramas y las briznas de hierba.

Nestor estaba en el invernadero, escogiendo los plantones que iba a trasplantar en el terreno que había arado en el jardín. Se había refugiado en su interior en cuanto notó las primeras gotas de lluvia, disfrutando luego del agradable rumor del agua que repiqueteaba contra los cristales oblicuos del invernadero.

No se había preocupado por los niños.

«Empapados de agua de mar, empapados de lluvia», pensó. A lo sumo se arriesgaban a pillar un saludable resfriado.

En cuanto los vio girar en torno al invernadero, comprendió que no se atrevían a molestarlo mientras trabajaba. Los ignoró un buen rato antes de sacudirse las manos sobre el delantal blanco y salir.

—¿Qué queréis? —les preguntó—. ¿Habéis roto algo?

Los tres niños no estaban acostumbrados a semejante espíritu práctico. Julia dio un codazo a su hermano, queriendo convencerlo de que debía ser él quien hablara primero.

Jason balbució:

—Nada… es que… nos preguntábamos si… es decir… ya que hace tantos años que usted… por eso… Julia decía…

El chico estaba tan violento que Nestor tuvo que hacer verdaderos esfuerzos por no soltar una carcajada en sus narices.

—¿Crees que me lo podrás explicar hoy… —le preguntó con sorna— o quieres tomártelo con más calma?

Nestor no era hosco por maldad. Era hosco y punto, como cualquiera poco habituado a tratar con otras personas.

Jason decidió ser directo y le tendió lo que parecía un rollito de papel.

—Hemos encontrado esto… —dijo—. Y no sabemos qué podría ser. Por eso hemos pensado en preguntárselo a usted.

Nestor abrió el pergamino enrollado lo justo para entrever algunos símbolos.

—¿Dónde lo habéis encontrado? —les preguntó enseguida, repentinamente serio.

Se detuvieron sobre el pretil desde el que comenzaban a bajar los escalones. Jason le indicó con la mano el lugar aproximado donde había encontrado la caja, omitiendo los detalles de la caída y el hecho de que le había faltado muy poco para estrellarse contra los escollos.

Nestor lo escuchaba en silencio.

Cuando el chico dejó de hablar, el jardinero se quedó pensativo todavía un buen rato, como abstraído, escuchando el batir de las olas y los chillidos lejanos de las gaviotas.

Al final se espabiló. Devolvió el pergamino a Jason y dijo agitando la cabeza:

—No… no sé qué decir. Ni qué podría ser.

—¿Podría ser un… documento antiguo? —le preguntó Jason—. ¿Como un jeroglífico?

—No son caracteres jeroglíficos… —comentó Julia—. Yo he visto jeroglíficos: son de colores, y los dibujos son distintos.

—Y además esto es un pergamino, mientras que los antiguos egipcios escribían sobre papiros… —observó Rick—. En cualquier caso, ningún egipcio podría haber llegado jamás hasta Cornualles.

—¿Y por qué? —preguntó Jason.

—Porque no eran buenos marineros —prosiguió Rick—. Tenían embarcaciones de cañas trenzadas que solo servían para desplazarse por el Nilo. No habrían aguantado los embates de las olas en mar abierto. Además, no conocían el timón.

Nestor dedicó una mirada de admiración al chico pelirrojo.

—Así que no puede ser más que una broma... —decidió Julia—. Ya te lo había dicho: una caja de bombones estropeados.

Jason resopló.

—¿Qué tipo de broma puede ser esconder una caja llena de bolitas de tierra en un acantilado? Y además, perdona pero... esto ¿qué es?

—La tarjeta de agradecimiento —continuó Julia, imperturbable. Simuló leer los jeroglíficos—: «Ha sido un verdadero placer cenar en su casa... blablablá...». Es lo que hace siempre mamá cuando va con papá a visitar a sus amigos.

—Yo, en cambio, creo que es una especie de plano —musitó Jason—. Quizá un viejo pirata tenía su base en Kilmore Cove y... escondió su tesoro en un lugar cercano a donde estamos.

—¡Ya estamos otra vez! —exclamó Julia—. Primero el... ¡y ahora el pirata!

No dijo la palabra «fantasma» delante de Nestor, pero Rick y Jason la comprendieron a la primera.

—El antiguo propietario... —comenzó el jardinero.

Pero luego dejó caer la cabeza, dio media vuelta de repente y se alejó, desatándose el delantal casi con rabia.

—El antiguo propietario… ¿qué? —le preguntó Jason, siguiéndolo e interponiéndose entre él y el invernadero.

—Olvídalo, chico. No tiene ningún interés.

Nestor lo apartó suavemente con la mano, y al tocarle las heridas, Jason chilló:

—¡Ah!

—¿Qué te pasa?

Jason apretó los dientes.

—Nada —respondió.

Y luego se quedó frente a él, como diciéndole: «Acabe de decir lo que quería decir».

Nestor suspiró, rindiéndose ante la insólita determinación del niño.

—No creo que os interese, pero… el viejo propietario era un apasionado de las lenguas antiguas. Tenía un montón de libros que trataban de escrituras perdidas, códigos y lenguajes por descifrar y otros descifrados. Quizá con ayuda de uno de esos libros se pueda traducir el mensaje del pergamino.

Jason asintió y dijo:

—Gracias.

—Ahora te toca a ti decirme qué te ocurre. ¿Te duele algo?

—Me duele si alguien me toca aquí, en el pecho.

—¿Por qué?

Jason respondió con una sonrisa:

—Porque está lleno de cortes. Son heridas que me he hecho al caerme de espaldas por el acantilado.

Nestor sonrió:

—¿Te divierte tomarme el pelo?

Y, sin sospechar que Jason no le había dicho más que la verdad, se dirigió al invernadero.

Capítulo (9)
– LA BIBLIOTECA –

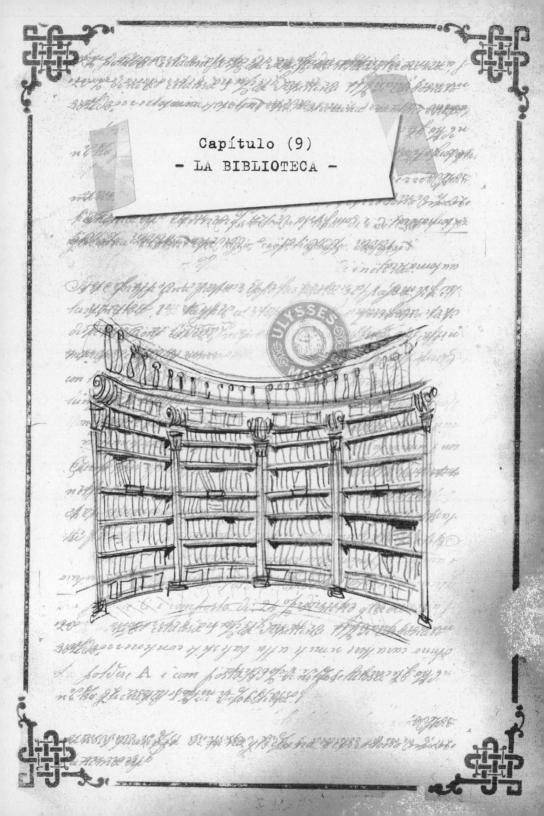

La biblioteca se hallaba a la izquierda de la escalera que llevaba al primer piso. Era una estancia cuyo techo estaba pintado con medallones azules y rojos y que tenía dos ventanales grandes y luminosos, uno de los cuales daba al patio de grava y el otro al jardín. La habitación estaba tapizada de estanterías atestadas de libros. Había un diván de cuero de búfalo, un piano sobre el que se apilaban varias generaciones de revistas y dos incómodos sillones rotatorios. Cada estantería estaba identificada con una placa de latón que indicaba el contenido de los libros: «Historia», «Medicina», «Geografía»…

Los tres chicos se pusieron manos a la obra para buscar los libros a los que había aludido Nestor.

—Debe de ser esta estantería —decidió Julia durante su exploración.

—¿Qué pone?

—Paleografía.

—¿Y qué narices significa «paleografía»?

—En griego «paleo» significa «antiguo», como los hombres del Paleolítico. Y, si no me equivoco, «grafía» significa «escritura».

Rick y Jason la miraron con admiración.

Rick se puso de puntillas y aferró un libro voluminoso titulado *Diccionario de las lenguas olvidadas*. Su interior estaba repleto de imágenes y símbolos que reconstruían las escrituras antiguas: el alfabeto fenicio, indio, los jeroglíficos egipcios, la misteriosa lengua etrusca, el alfabeto griego, el «rongo-rongo» desconocido de la isla de Pascua y muchos más.

Todas las páginas del léxico eran sorprendentes: contenían símbolos, dibujos, códigos secretos, lenguas perdidas, palabras desaparecidas.

Cuando Rick llegó a la página 197, Jason exclamó:

–¡Quieto! ¿Es esta?

En mitad de la página se había reproducido este dibujo:

–Parecen los mismos…

–¿Qué pone aquí debajo?

Rick leyó en voz alta: «Se trata de las cuarenta y cinco misteriosas figuras pintadas sobre el llamado "disco de Festo". Este objeto, un disco de arcilla de circunferencia irregular, fue descubierto en la isla de Festo a principios del siglo XX por los arqueólogos Halbherr y Pernier, y no ha sido traducido...».

—Empezamos bien... —murmuró Julia.

—«... el disco lleva sobre las dos caras una inscripción cubierta en una espiral similar a una serpiente. Las letras que acompañan los distintos pictogramas forman parte del intento de traducción fonética realizado por el paleógrafo Elton Carter en marzo de 2003...»

En efecto, junto a las distintas figuras, se había reproducido el equivalente en un carácter de nuestro alfabeto.

—Un hombre que camina corresponde al número uno. El disco que tiene los puntos corresponde a nuestra «a»... —susurró Jason.

—¡Tratemos de transcribir el pergamino! —exclamó Julia entusiasmada.

Rick negó con la cabeza.

—Es imposible. No basta con saber el significado de las letras para poder descifrar un mensaje antiguo: tendríamos que conocer también la lengua en la que está escrito.

—¿Y quién dice que es antiguo? —soltó Jason.

—¡Es evidente! «Los caracteres del disco de Festo se usaron —leyó en el diccionario— varios milenios antes del nacimiento de Cristo.»

Pero los dos gemelos no estaban en absoluto de acuerdo. Tomaron papel y boli y se pusieron a copiar junto a todos los jeroglíficos del pergamino su transcripción fonética.

—¡ENLA! —gritó Jason, después de transcribir los tres primeros caracteres.

Rick siguió meneando la cabeza.

—No significa nada… —dijo.

—¡OSCURIDAD! —exclamó Julia.

Los dos gemelos se miraron.

—¡En la oscuridad! —gritaron.

¡Vaya si significaba algo!

Rick se quedó asombrado. ¿Cómo era posible que aquel pergamino contuviera un mensaje comprensible en su lengua, a pesar de estar escrito en un alfabeto desconocido?

Poco a poco fue surgiendo una frase de significado completo:

En la oscuridad de la gruta puedes usar…

En ese momento el bolígrafo con el que anotaban el significado de los dibujos dejó de escribir.

—¡Maldita sea! —soltó Jason agitándolo furiosamente—. Vete a buscar otro boli —ordenó a Julia.

—¡Ve tú!

—No sé dónde están.

—¿Dónde se ha quedado el que has usado para dibujar el plano?

—¿El boli con el que he dibujado el plano? —Jason recordó que se le había caído por culpa de Julia y se había ido rodando debajo de un armario—. Está abajo. ¡Voy corriendo!

Se precipitó escalera abajo, mientras Rick y Julia seguían pronunciando en voz alta las letras a medida que las iban identificando. Jason saltó los escalones de dos en dos y entró corriendo en la habitación de piedra. Tuvo la sensación de ver moverse una sombra delante de él, y se quedó inmóvil. Abrió la boca de par en par para hablar, pero se había quedado sin resuello. Las ideas le bullían en la cabeza y revoloteaban como una bandada de pájaros enloquecidos.

Desde el piso de arriba le llegaron las voces de Rick y su hermana, apagadas por la distancia, que declamaban:

—En la oscuridad de la gruta puedes usar l... a...

—... puedes usar la t... i...

—... puedes usar la ¡tier... ra!

Poco a poco fue superando el pánico. Miró mejor a su alrededor, pero no vio a nadie. Y no oyó ningún ruido sospechoso. A lo mejor se había equivocado y había confundido uno de los numerosos muebles que decoraban la casa con una sombra.

Entró cautelosamente en la habitación de piedra.

En un lado del apartamento divisó, tirado en el suelo, el plano que habían acabado de dibujar antes de salir en busca del retrato del viejo Ulysses. Jason atravesó la habitación con los sentidos alerta. Se acercó al armario bajo el cual había ido a parar el bolígrafo y tanteó el suelo con las manos.

Obviamente, el boli se había detenido en la esquina más alejada y Jason tuvo que estirarse con todo el cuerpo por debajo del mueble para alcanzarlo.

Y se dio cuenta de algo: la pared no era de verdad.

Parecía hecha de madera.

Lleno de curiosidad, Jason la examinó más detenidamente.

Detrás del armario había una puerta.

Jason regresó a la biblioteca al cabo de un rato. Dio el bolígrafo a los chicos y se quedó aparte, callado y pensativo, hasta que Rick y Julia hubieron acabado de transcribir todo el mensaje. Julia lo copió en cuatro líneas, como si fuera una poesía, y lo releyó en voz alta y tono triunfal.

Al oírlo, Jason sintió un escalofrío de terror que le recorría los huesos, como una descarga helada:

> *En la oscuridad de la gruta*
> *puedes usar la tierra-luz*
> *para iluminar la flota*
> *que te llevará a donde quieras.*

–Lástima… –murmuró Rick–. Era casi más comprensible antes.

–¿Hay grutas por aquí? –le preguntó Julia.

Rick se encogió de hombros, como diciendo: «Supongo que sí. Hay grutas por doquier». Y luego dijo:

—Me imagino que Kilmore Cove es un nombre apropiado. «Cove» significa «ensenada» o «bahía», pero se usa también para referirse a una cueva. En el pueblo se cuenta una historia que dice que, antaño, los antiguos druidas se reunían en Kilmore Cove durante el solsticio de primavera; su sala de asambleas era una cueva sobre el mar… que se derrumbó o fue destruida en la época de las invasiones.

—¿Has oído, Jason? ¡Druidas! —exclamó Julia—. O sea que… ¡caramba… hace miles de años!

Después de transcribir el mensaje, Julia estaba eufórica y se sentía implicada en el misterio en el que se estaban adentrando. Rick resumió todas las leyendas que trataban de grutas, anfractuosidades o flotas, tratando en vano de darle un sentido a la expresión «tierra-luz». En cambio, Jason, que normalmente inventaba a todas horas misterios y palabras inexistentes, permanecía mohíno y pensativo, reclinado sobre el piano.

—¿Jason? —le preguntó su hermana—. ¿Estás bien? ¿Te duelen las heridas?

El chico tenía la mirada perdida, a mitad de camino entre Julia y Rick.

—¿Jason? ¿Estás hechizado o qué? —insistió Julia. Lo zarandeó por el hombro.

Los ojos de Jason volvieron a enfocar la realidad, moviéndose como dos canicas de colores dentro de una caja. Miró a Julia y le preguntó:

—¿Qué dices?

—Duerme de pie —bromeó ella mirando irónicamente a Rick—. Ahora que tenemos que resolver un misterio de verdad, mi hermano decide echar una cabezadita. ¡JASON! ¡DESPIERTA! —Y le apretó malévolamente el pecho con la mano.

Jason pegó un brinco de dolor.

—¡Has vuelto al planeta Tierra! —exclamó Julia—. ¿Has oído lo que decíamos sobre los druidas?

—Sí... sí... —murmuró él acariciándose la camiseta—. Solo que... los druidas...

—Rick dice que, hace tiempo, en algún lugar de Kilmore Cove, había una gruta en la que los druidas celebraban sus asambleas y que fue destruida durante las invasiones romanas...

Jason negó con la cabeza.

—No. Se equivoca. No fue destruida.

—¿Y tú cómo lo sabes?

—Porque yo... la he visto hoy... —murmuró— cuando he mirado en el interior del acantilado... ¡La he visto!

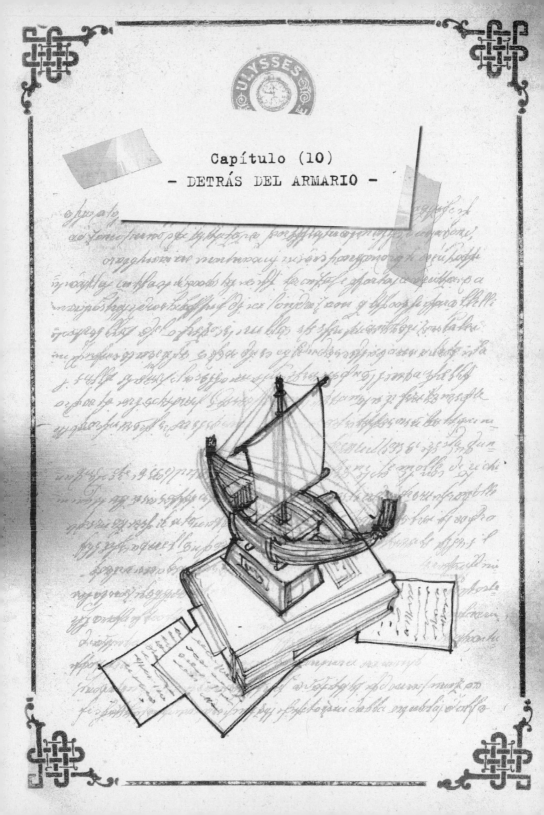

Capítulo (10)
– DETRÁS DEL ARMARIO –

Jason condujo a sus compañeros nuevamente a la habitación de piedra, llevándose consigo el diccionario, la caja llena de bolitas de tierra, el pergamino con su transcripción y el único bolígrafo que escribía en toda la casa.

—He visto un espacio abierto, ¿cómo explicarlo…? —iba diciendo Jason—. Era como si detrás de la roca se escondiera el vacío.

—¿Quieres decir que el acantilado estaba… hueco?

Jason asintió.

—Eso podría explicar que hayas descubierto la caja —dijo Rick—. Has metido la mano en una hendidura y… de dentro… has cogido lo que has cogido.

Julia releyó en voz alta el mensaje:

—«En la oscuridad de la gruta… iluminar la flota…» ¡Encaja! ¡Encaja! —exclamó—. El mensaje habla de una flota, y una flota solo puede encontrarse junto al mar. Quien haya escrito este mensaje…

—El antiguo propietario —intervino Jason.

—¿Por qué?

—El mensaje lo escribió el antiguo propietario de Villa Argo. ¿Quién habría sido si no? Está escrito en nuestra lengua, solo que… Ulysses Moore ha utilizado el alfabeto del disco de Festo para hacerlo más misterioso.

—Sí, ya, para hacerlo incomprensible, pero ¿por qué?

—Si… y digo «si»… —interrumpió Julia— en el acantilado hay una gruta… entonces podría haber también un tesoro. Y si, y digo «si», hubiera un tesoro, el viejo Ulysses podría haber organizado una especie de… caza del tesoro, pero solo para unos pocos elegidos. Como lo que hacían los piratas, ¿no? Buscaban lugares poco conocidos donde almacenar lo que habían encontrado y luego dejaban como único rastro un plano incomprensible para azuzar a los cazadores de tesoros.

Los piratas no «encontraban», los piratas «robaban» —puntualizó Rick.

Julia resopló.

—Sea como sea, aquí se habla de «flota», ¿o no? Y para tener una flota, o tienes una gran empresa de pesca o eres un pirata. De modo que aquí debe de haber un tesoro.

Rick hizo una mueca, pues no le convencían lo más mínimo las deducciones de Julia, pero optó por no discutir.

Julia recapituló:

—Entonces… por lo tanto… tú dices que el mensaje lo ha escrito el antiguo propietario. Yo digo que lo ha hecho para guiarnos hacia un tesoro… Demos por seguras estas dos cosas: antiguo propietario y tesoro. Admitamos también que hay una gruta en el acantilado. Todavía nos queda por aclarar qué es la «tierra-luz»… —Al decirlo echó un vistazo a las bolitas de arcilla que había dentro de la caja—. Y… cómo podemos entrar en esa gruta.

—Oh, eso es fácil —dijo Jason sonriendo—. Si el viejo Ulysses escribió este mensaje y lo dejó dentro de la cueva, eso quiere decir que podía entrar cómodamente en la cueva.

—Ya.

—Lo que significa que bajaba a la cueva desde su casa, desde Villa Argo.

—Ya…

—Creo que sé cómo.

—¿Y a qué esperas para decírnoslo?

Jason les señaló el armario adosado a la pared de piedra.

—Ahí detrás hay una puerta. Si me echáis una mano para apartar ese chisme, la veréis también vosotros.

La puerta tenía un aspecto amenazador.

No era mayor que las demás puertas de la mansión, pero parecía claramente más antigua. Más antigua de cuanto ellos pudieran imaginar.

Los chicos la estuvieron mirando un buen rato sentados en el suelo. Les había costado el sudor, la sangre y las lágrimas proverbiales apartar el armario lo justo para que quedara enteramente al descubierto.

Todo parecía indicar que el armario había sido colocado en aquel lugar solo para ocultarla. Ahora que la habían descubierto, esa intención confería a la puerta una fascinación muy especial.

—¿Dices que es esta? —preguntó Julia.

Jason llevaba consigo el plano de la casa que habían dibujado por la tarde. Marcó con una X el lugar en que se encontraba la puerta y contestó:

—¡Seguro que es esta! ¡Es una de las puertas secretas por las que pasa el viejo Ulysses!

—¡Jason! —soltó Julia—. Ulysses Moore está MUERTO.

—¿Cómo lo sabes? Esta casa es tan grande que podríamos no advertir su presencia. Y, además, ¡lo he visto!

—¿Qué quieres decir con eso?

—Cuando he bajado a por el bolígrafo, hoy. Ha pasado una sombra como un suspiro y luego… ¡adiós! Se ha deslizado por algún lado, antes de darme tiempo a respirar…

Jason miró primero a Rick y luego a su hermana, leyendo en la expresión de sus rostros cierto escepticismo.

—No me creéis, ¿verdad? —preguntó.

—¿La gruta la has visto de la misma manera? —inquirió Julia, dubitativa de pronto.

—¿Qué tiene que ver?

Julia se puso de pie.

—¡Qué ingenua he sido! Te estaba creyendo: la gruta, el acantilado hueco, el pasaje por detrás de esta puerta… Había olvidado cómo eres. Es solo una más de tus fantasías, ¿a que sí? ¡En realidad tú no has visto ninguna gruta! ¡Te la has imaginado!

—¡No, la he visto!

—Jason, júramelo. Júrame que hoy, en el acantilado, has visto una gruta.

Jason se sintió enrojecer. Recordaba perfectamente lo que había entrevisto por la grieta.

Había visto un espacio.

No.

Había «notado» una «suerte» de espacio.

Ni siquiera.

Le había parecido «intuir» que «pudiera haber» un espacio.

No había visto «realmente» una gruta. No una gruta hecha y derecha con sus estalactitas y estalagmitas y todo lo que normalmente se espera de una gruta. Como tampoco había visto «realmente» una sombra en el piso de abajo. Pero…

—¡¿Jason?!

Lanzó una mirada a su alrededor, desmoralizado.

—No puedo jurártelo, pero… Rick, díselo tú…

Rick asintió.

—En realidad, no es tan importante qué ha visto —dijo—. Después de todo, la caja existe de verdad y la tenemos en nuestras manos. Y existe el mensaje, signifique lo que signifique. Además, caramba, ¡la puerta también existe!

—Entonces ¡abrámosla! —saltó Julia, que había recuperado el interés de pronto.

Como no tenía pomo, Julia metió un dedo por lo que parecía la cerradura y trató de moverla hacia fuera y hacia dentro. Pero la puerta no se movió en absoluto.

—¡Está cerrada! —gimió—. Y a lo mejor no conduce a ninguna parte…

Rick pasó los dedos sobre la madera maltrecha, como si la acariciara. Luego se arrodilló delante de la cerradura por la que Julia había metido un dedo.

—Está cerrada, es cierto. Pero, si en realidad no lleva a ningún lado, ¿por qué tendría no una, sino cuatro cerraduras distintas?

Julia la miró con mayor detenimiento.

Una, dos, tres y... cuatro.

Del lado izquierdo de la puerta había realmente cuatro cerraduras que dibujaban una cruz, como los vértices de un rombo.

Los chicos se pusieron a hacer cábalas, llegando a conjeturas cada vez más complicadas. Disponían de muchos elementos, pero todavía estaban muy dispersos. Habrían podido volver a decírselo a Nestor o registrar la casa palmo a palmo, cajón por cajón, en busca de las llaves con las que abrir la puerta.

O bien...

Notaron una súbita corriente de aire y luego oyeron un golpe seco procedente del piso de arriba.

—¡Es él! —exclamó Jason, poniéndose de pie de un salto.

Pero no era el «él» que se imaginaba: la ventana de la torrecilla se había vuelto a abrir y volvía a batir contra la jamba.

Los chicos subieron rápidamente a la habitación que coronaba la escalera.

Rick trató de cerrar la ventana rebelde de una vez por todas.

—Se ha aflojado el cierre… —dijo analizándolo con mirada crítica—. Creo que para repararla habrá que llamar a alguien que sepa.

—No se ha abierto por casualidad… —le contradijo Jason musitando y recorriendo la habitación con los ojos.

Miró por la ventana el jardín de Villa Argo, aún mojado por la lluvia, y no vio a nadie.

Y su atención se centró en las maquetas de los veleros dispuestos sobre el arcón.

—¿Ese estaba colocado antes así? —preguntó a sus amigos.

—¿Así cómo? —replicó Julia.

Uno de los veleros de la minúscula flota de madera descansaba sobre un librito de cubierta oscura, que le servía de pedestal.

Era una maqueta ahusada, con una cubierta de decenas de diminutos palitos atados con trocitos de hilo de bramante.

Rick y Julia agitaron la cabeza, dubitativos: ninguno de los dos había advertido la presencia del librito durante su visita anterior a la torrecilla. Pero, a decir verdad, tampoco habían notado su ausencia.

Con suma cautela, Jason levantó la minúscula nave y se la tendió a Rick.

La placa de latón que llevaba en su base le atribuía el nombre de *Nefertiti's Eye*, el Ojo de Nefertiti.

—Debe de ser la maqueta de una embarcación egipcia… —murmuró Rick dándole vueltas en la mano—. Hecha toda ella de cañas de papiro.

Jason abrió el librito negro que le servía de pedestal. No era un libro, sino un diario. Alguien había tomado apuntes y anotaciones con una escritura diminuta y difícil de leer, comentando los recortes de periódicos, dibujos y fotografías pegados en sus páginas.

—Egipto... —dijo ligeramente desilusionado—. Es una especie de diario de un viaje a Egipto. Es más... —Hojeó rápidamente las páginas: jeroglíficos, una reproducción de la máscara de oro de Tutankamón, el niño faraón, el busto esculpido de su madre, Nefertiti, un mapa del valle de los Reyes, donde se descubrió su tesoro—. Al parecer, trata sobre todo de Tutankamón. Está lleno de recortes, pasajes subrayados, apuntes, círculos rojos... —Abrió el diario por el centro—. Se diría que el viejo Ulysses guardaba en este diario una colección de material sobre Egipto.

—El libro perfecto para construir esta nave... —observó Rick con el Ojo de Nefertiti todavía en la mano.

— Ya. Tenía que ser una persona muy meticulosa al montar sus maquetas...

Rick asintió.

—Esta podría ser la flota... —murmuró Julia—, la flota del mensaje: la flota «que te llevará a donde quieras». Podría ser una buena forma de decir que... con estas maquetas imaginaba que viajaba a otros lugares y... así...

—Quizá... y ¿qué es la «tierra-luz»?

—A lo mejor... hay que poner una de estas bolitas de tierra sobre todas estas barquitas y...

Una hojita diminuta de papel cayó del diario y fue aleteando a posarse sobre el suelo. Jason se inclinó a recogerla.

—¡Mirad! —exclamó exultante.

—¿Qué es?

—Parece… un recibo postal: «Oficina de Correos, Kilmore Cove».

~ OFICINA ~ DE CORREOS ~

KILMORE COVE

AVISO DE RECOGIDA. Nº 2.064

Último aviso para la recogida del envío

postal

Dirigido a: *Distinguido propietario.*

Villa Argo.

Salton Cliff nº 1-74.820 Kilmore Cove (Reino Unido)

Jason le dio la vuelta y se puso a leer:

—Con esto debería bastar para convencerte de que el viejo Ulysses está muerto… —murmuró Julia a su hermano—. Ni siquiera fue a recoger su envío.

Pero la obstinación de Jason no se rindió ante semejante evidencia:

—¿Y quién os dice que no lo ha dejado aposta para noso-tros? La ventana que se abre, el diario, el recibo dentro del diario... ¿y si no fueran simples coincidencias?

—No está demostrado que el diario no haya estado siem-pre debajo de la maqueta.

—Yo propongo que vayamos a recoger el paquete —insis-tió Jason.

—Entonces, además de ser un fantasma invisible, es un fantasma poco astuto —rebatió Julia—. Hoy es sábado y Co-rreos está cerrado por la tarde.

Rick hizo una mueca.

—Es verdad... —dijo—. Pero la gente que vive aquí, en Kil-more Cove, sabe que, en caso de urgencia, se le puede pe-dir un favor a la señorita Calipso en su librería. Es ella la que se ocupa de la oficina de Correos.

—¿Tú la conoces? —le preguntó Jason.

—Naturalmente. En el pueblo nos conocemos todos.

—¿Y dices que te abriría la oficina de Correos?

—Podemos pedírselo.

Julia puso los brazos en jarras.

—Pero no os distraigáis. Un segundo antes de que se abrie-ra esta ventana, estábamos haciendo algo totalmente distinto. Debemos encontrar la entrada de una cueva secreta, tenemos una puerta cerrada que requiere cuatro llaves y una frase mis-teriosa por interpretar. No creo que sea buena idea...

Pero Jason y Rick habían llegado ya a la mitad de la es-calera.

Capítulo (11)

- EN KILMORE COVE -

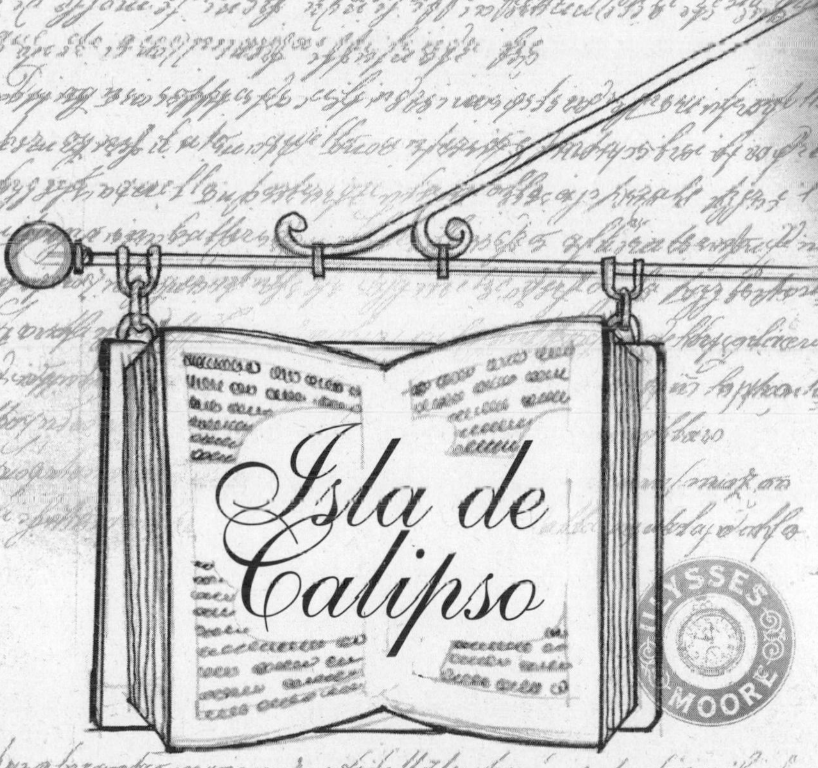
Isla de Calipso

Eran casi las seis de la tarde cuando los dos chicos le pidieron a Nestor que les abriera la puerta del viejo garaje de Villa Argo. La puerta metálica chirrió al levantarse y dio paso a un espacio polvoriento, mal iluminado por una solitaria bombilla colgada del techo. Gran parte del garaje la ocupaba la silueta de un automóvil cubierto por una sábana blanca. Era un viejo Spider de los años cincuenta.

—¿Todavía funciona? —preguntó Rick levantando una punta de la sábana y mirándolo con curiosidad.

—No creo, han pasado demasiados años desde la última vez que lo pusimos en marcha… —respondió Nestor, rodeando el Spider para buscar algo al fondo del garaje—. Aquí están… —gruñó, cambiando de tema. Levantó otra sábana y dejó al descubierto dos bicicletas viejas apoyadas una contra la otra—. Recordaba que las teníamos. Vamos, sacadlas de aquí.

Rick asió el manillar de la primera, Jason levantó la segunda, y las sacaron del garaje.

—¡Uauh! —exclamó Rick al verlas a la luz del sol.

Eran dos modelos viejos, sin marchas, con un cuadro macizo de hierro fundido pintado de negro.

—Las cámaras de las ruedas todavía deberían estar en buen estado… —dijo Nestor tendiéndoles una bomba de aire—. No os costará mucho ponerlas de nuevo en marcha.

Luego les dio una aceitera de pico largo y un trapo humedecido con quitamanchas.

—Usad esto para los frenos y la cadena. Primero el trapo para quitar el polvo y luego un poco de aceite y luego otra vez el trapo, hasta que giren a la perfección. Y cuanto más aceite mejor: una cadena que no se desliza bien se rompe.

—¿Seguro que llegarán hasta el pueblo? —preguntó Jason, inquieto por los chirridos de las viejas bicis—. ¡Pesan un quintal por lo menos!

—Llegar, seguro que llegan —respondió el jardinero—. Son antiguallas, pero robustas. En cuanto a que vuelvan… eso ya depende de vuestros pulmones. Y de vuestras piernas. En cualquier caso, Ulysses Moore y su mujer las usaban con toda tranquilidad.

Rick puso una de las bicis patas arriba y comenzó a hinchar las ruedas. Nestor le dirigió una mirada de admiración: le gustaban las personas prácticas.

—¿Se puede saber por qué queréis bajar a Kilmore Cove a estas horas? —preguntó a los chicos.

El rostro de Jason se puso tenso, un indicio tangible de que se estaba gestando una mentira. Luego dijo algo que de puro absurdo resultaba casi verosímil.

—Procurad al menos no meteros en ningún lío —concluyó Nestor—. Y volved para la cena, ¿vale? Vuestros padres me han dicho que os preparara algo de comer, y no me gustaría trabajar en balde.

Se alejó, y los dejó trajinando con las dos bicicletas viejas.

Un cuarto de hora después, Jason y Rick se subieron por fin al sillín de aquellos viejos bólidos de la carretera. Julia se montó sobre la bici de Rick, más ligera y manejable y, después de regular la altura del sillín, se dispuso a pedalear con ellos.

Saludaron al jardinero, enfilaron el camino de salida de la villa y tomaron la carretera del acantilado, de bajada, en dirección a la bahía de Kilmore Cove.

Julia iba por delante, con la melena al viento, y tomó la primera curva chillando de felicidad. Jason iba farfullando en voz alta, mientras Rick, el último, se dio la vuelta una vez más en dirección al jardín para despedirse de Nestor.

El viejo jardinero se protegió los ojos con la mano, mirándolos mientras desaparecían por la carretera.

—¡Quién sabe! —murmuró para sus adentros—. Quién sabe si estos chicos lo conseguirán...

La bajada fue embriagadora: las ruedas giraban furiosamente y el pueblo se fue desvelando poco a poco, curva tras curva. Kilmore Cove era un amasijo de casas bajas cuadradas y pintadas de colores muy variados, adosado a la parte más resguardada de la bahía. El paseo marítimo se cruzaba con diversas calles procedentes del interior, formando una serie de «tes» delante del mar.

Como todos los sábados, muchos automóviles tocaban el claxon en busca de aparcamiento a lo largo del muelle del puerto, y por el paseo marítimo había un alegre vaivén de gente.

Julia llegó la primera, desmontó de la bici de Rick y la apoyó contra una señal que aconsejaba no aparcar demasiado cerca de la playa, porque se corría el peligro de que la marea se llevara el coche.

—¡Sí que os habéis quedado rezagados! —exclamó a los dos chicos cuando la hubieron alcanzado.

—Esta bici... —gruñó Jason— solo tiene dos marchas: o está inmóvil o va a la velocidad de la luz. Si rozas los frenos, se queda clavada. Si los sueltas, sale disparada como un cohete.

—Lo que pasa es que está mal compensada. Y pesa mucho —explicó Rick.

El muchacho pelirrojo había vuelto a su ambiente: el pueblo con los tenderetes del paseo marítimo, la playa sobre la que corrían perros y niños, los balcones de madera atestados de flores de colores vivos de los restaurantes situados frente a la costa.

—¿Dónde está la tal Calipso? —le preguntó Julia, animada por la alegría bulliciosa de los paseantes.

Rick abrió camino empujando la bicicleta. Los tres remontaron una calle que se adentraba en el pueblo. Pasaron junto a la estatua de un hombre que apoyaba orgullosamente el pie sobre un ancla y llegaron a una plazuela circular, en la que manaba una fuente tallada en antiguas rocas megalíticas.

—Es aquí —dijo Rick señalándoles el cartel de leña de una tiendecita, que decía lo siguiente:

Isla de Calipso
Libros buenos salvados del mar

Dejaron las bicis.

Rick empujó la puerta y entró. Una campanilla, colocada sobre la jamba, soltó un tintineo agudo.

En el interior de la tienda, la Isla de Calipso ejercía una fascinación especial. En el aire flotaba una atmósfera preñada de buenos sentimientos y expectativas. Los libros yacían apilados por tierra, sobre anaqueles bajos de madera, y formaban una especie de recorrido por el que había que avanzar con precaución.

—¡Voy enseguida! —dijo la propietaria.

Calipso era una mujer pequeña, de mirada lánguida y sonrisa reconfortante. Llevaba un fular estampado con flores y un escueto vestido azul celeste que le llegaba a las rodillas. Un par de zapatos sin tacones de color almendra completaba su atuendo.

En cuanto reconoció a su paisano, exclamó:

—¡Rick Banner, qué honor! —Y luego añadió—: Has traído a unos amigos, ¿eh? ¡Estupendo! No, no... déjame adivinar. Apuesto a que vosotros sois los «londinenses».

—Julia.

—Jason.

El apretón de manos de Calipso fue convincente: fuerte sin resultar doloroso y amistoso pero sin afectación.

—Es una buena señal veros en una librería tan pronto. ¿Cuánto hace que llegasteis a Kilmore Cove? No, no... dejadme...

—Una semana, señorita Calipso —dijo Jason.

—Ya —asintió ella—. Una semana. Y ¿qué os parece Kilmore Cove? ¿Pequeño? ¿Remoto? ¿Olvidado del resto del mundo civilizado?

—¡No! —respondió Julia—. En realidad nos parece...

—Naturalmente... —continuó Calipso, impertérrita—. Naturalmente. Debe de haber sido una tremenda conmoción para vosotros pasar de Piccadilly Circus a las rocas salobres. Del Big Ben a nuestro miserable faro. Aunque, después de todo, vivís en Villa Argo y, cuando se vive en una villa como esa... pues vaya... ¡qué paraíso! ¿Quién podría querer irse? Mar, cielo, árboles... ¿qué más os hace falta?

—En realidad... de hecho... —dijo Rick.

—¡Pues claro que sí! No hace falta ser un genio para comprenderlo... —exclamó Calipso—. Por otra parte, aquí estáis. ¿Qué os hace falta? Fácil. Os falta solamente... un buen libro. ¡Felicidades, Rick Banner! ¿Has visto cómo la compañía de un par de ciudadanos sanos e instruidos te hace sentar la cabeza? —Calipso se volvió hacia los geme-

los—. Seguro que sabéis que el joven Banner va a la escuela de peor gana que un mulo.

Julia y Jason sonrieron, más por las mejillas arreboladas y los puños apretados de Rick que por el comentario de Calipso. La estridente librera pareció dar por acabado su discurso torrencial y los miró directamente a los ojos.

—Bueno, decidme qué libro andáis buscando.

Los chicos se miraron para decidir quién había de responder. Julia intuyó que le tocaba a ella, por lo que comenzó:

—En realidad no estamos aquí por un libro, señorita Calipso.

—¿No? —La librera se enderezó como accionada por un resorte—. Y entonces, ¿a qué habéis venido?

La voz se tiñó de cierta aspereza, que Jason consideró bueno atemperar de inmediato. —Mi hermana quería decir que no estamos aquí solo por un libro. El libro es el motivo fundamental, pero además… además hay otra razón.

Le explicó lo que sabían de la oficina de Correos y le tendió el recibo postal que habían encontrado en el diario de Villa Argo.

Calipso lo examinó con atención y luego preguntó:

—¿Quién te ha dado este recibo?

—Nestor —mintió Jason con una rapidez desconcertante—. Y nos ha dicho que viniéramos aquí.

Calipso pareció meditar un momento la respuesta y luego dijo:

—Pero hoy es sábado. Y la oficina de Correos está cerrada.

—Sí, pero… —exclamó Jason—. Si pudiera tener la amabilidad de abrirla un momento, solamente para recoger el paquete y llevárnoslo a casa…

—¿Y tú cómo sabes que es un paquete?

Jason se encogió de hombros.

—No lo sé, pero creía… bueno…

—Y, en cualquier caso —prosiguió Calipso—, aunque la oficina estuviera abierta, no está claro que os pudiera dar lo que me pedís. En el recibo pone que hay que entregárselo al «propietario de Villa Argo», y yo aquí solo veo a tres chiquillos que han dejado sus bicis cruzadas delante de mi escaparate.

Jason y Julia replicaron que sus padres eran los propietarios de Villa Argo y que, por lo tanto, ese aviso de recogida iba destinado a ellos.

—En este momento están ocupados con la mudanza y no pueden bajar a buscarlo personalmente…

—Nestor ha dicho que usted lo comprendería…

Calipso hizo un gesto vago con la mano:

—¡Ah, claro! Es típico de los propietarios de Villa Argo enviar a otros a resolver sus asuntos personales.

—¿O sea que nos puede abrir la oficina?

—No, hijos míos… ¡es sábado! Y el sábado por la tarde la oficina está cerrada.

—Tres libros —dijo entonces Jason, colocándose ante la señorita Calipso con aire desafiante.

—¿Cómo has dicho?

—He dicho «tres libros». Si nos abre la oficina de Correos y nos da lo que tiene que darnos, nosotros nos llevamos tres libros. De su elección. Y le prometemos que los leeremos en una semana.

La campanilla de la puerta tintineó y se asomó un turista que, nada más comprobar que estaba en una librería, se excusó y salió. Le había parecido un pequeño restaurante romántico.

En la Isla de Calipso se hizo de nuevo el silencio. En el rostro pensativo de su propietaria se dibujó inesperadamente una sonrisa.

—Mmm… ¿tres libros en una semana, dices? ¿Y os podré hacer algunas preguntas para comprobar si los habéis leído de verdad?

—Pues claro que sí —aventuró Jason.

—¡Trato hecho! —concluyó Calipso, tendiéndoles la mano para sellar el pacto—. Tres libros por un paquete.

—¡Eh! ¿Y usted cómo sabe que es un paquete? —protestó Julia, antes de recibir una patada discreta de su hermano.

Calipso sacó un manojo de llaves de detrás del escritorio, cerró detrás de ella la puerta de la librería y atravesó la plazuela.

La oficina de Correos estaba enfrente.

Un cuarto de hora después, los tres chicos estaban delante del mar. Se habían alejado de la muchedumbre de turistas del fin de semana, empujando las bicis hasta llegar a un espigón solitario que se adentraba en el mar. El acantilado se erguía a su izquierda; el puerto, lleno de barquichuelas de fondo plano, quedaba a su derecha.

Llevaban en la mano un paquete de las dimensiones de una caja de zapatos, envuelto con grandes cantidades de cinta adhesiva marrón y tres libros con las cubiertas gastadas y tristes.

—¡Tú y tus brillantes ideas! —gruñó Julia—. ¡Este ladrillo te lo vas a leer tú!

Calipso le había encargado la lectura de *Cumbres borrascosas*, de Emily Brontë. En cambio, a Rick le había tocado *La isla misteriosa*, de Julio Verne, mientras que Jason disponía de una semana de tiempo para afrontar el monumental *Ramsés*, de Christian Jacq.

Jason no le hizo caso, ocupado como estaba desgarrando la cinta adhesiva del paquete. Rick, sentado a su lado, lo ayudó para evitar que la vehemencia de su amigo hiciera que el posible contenido del paquete acabara en el agua.

En poco tiempo liberaron de la cinta adhesiva una caja maltrecha de chocolatinas a la menta.

—Esperemos que por lo menos las chocolatinas sean comestibles… —dijo Julia.

Abrieron la caja.

—¡Mirad! —exclamó Jason radiante.

En el interior de la caja, sepultadas bajo un montón de recortes de periódico, había cuatro llaves.

Eran llaves viejas, en parte oxidadas, con una pátina roja. Cada una tenía un ojo distinto, trabajado primorosamente. Rick cogió una al azar y la puso contra la luz del cielo para observarla mejor.

—Parece... parece que haya un animal dibujado —murmuró.

Julia se acuclilló delante de él y dijo:

—Es cierto: podría ser un cocodrilo, un caimán, o un aligátor.

Recordaba realmente a la silueta de un aligátor con la boca abierta de par en par.

Jason había escogido otra.

—En esta, en cambio, se diría que hay un puerco espín, o quizá un erizo.

La mostró a sus amigos, que estuvieron de acuerdo con su interpretación.

Julia escogió la llave con el mango en forma de rana y fue enseguida objeto de una chanza de su hermano, que evocaba una improbable semejanza entre ambas.

—¡Mejor una rana que una rata con espinas! —replicó la chica, profundamente molesta.

La última llave tenía el perfil de un ave con un pico que parecía inconfundible: un pájaro carpintero.

—Aligátor, rana, erizo y pájaro carpintero o, más bien, bisbita... —murmuró Rick mirando las cuatro llaves—. ¿Qué relación hay entre estos cuatro animales?

—Uno es carnívoro, otro es anfibio, otro no sé y el último vuela... —dijo Julia.

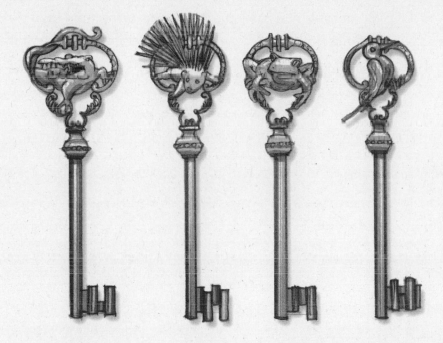

—La relación salta a la vista —afirmó Jason—. En Villa Argo hay una puerta con cuatro cerraduras. Y aquí tenemos cuatro llaves. Más fácil imposible…

—¿No había nada más en la caja?

—Nada.

Jason dio enérgicamente la vuelta a la caja de chocolatinas para demostrar que no contenía nada más.

Cayeron los periódicos desmenuzados y con ellos un pergamino enrollado, que Rick atrapó al vuelo.

—¡Bingo! —dijo.

El pergamino contenía un texto con los mismos jeroglíficos que el mensaje del acantilado.

—Y ahora, ¿me creéis? —silbó Jason mirándose los rasguños ya casi familiares que llevaba impresos sobre la piel—. El viejo propietario de Villa Argo conocía algunos secretos. Y ahora nosotros los estamos sacando a la luz.

En el horizonte el mar se encrespaba y el cielo parecía retumbar. Todo indicaba que el temporal estaba a punto de estallar nuevamente.

Capítulo (12)
- RELÁMPAGOS -

Se pusieron a pedalear a toda velocidad. En la primera curva, Rick y Julia ya le sacaban a Jason unos cien metros. Julia, con la bici nueva de Rick, atacaba la subida sin cansarse apenas. Rick, entrenado en hacer grandes esfuerzos, lograba hacer avanzar la suya. Mientras tanto, Jason, agotado por el peso del paquete, tuvo que desmontar.

—¡Seguid adelante! —gritó.

Había comenzado a empujar su bici.

—¡Ánimo, panoli! —le gritó Julia. A su lado, Rick empujaba sobre los pedales, de pie—. ¿Tan duro es? —le preguntó ella.

Rick tenía las mejillas rojas del esfuerzo, pero le contestó resoplando:

—No… ¡no demasiado!

—¡Mi hermano conseguirá que nos volvamos a empapar!

—Sigue tú… sigue sola hasta casa… —le dijo Rick—. Yo me quedo a esperarlo.

Julia asintió. Cogió las cuatro llaves y el nuevo pergamino y echó a correr. A los pocos minutos, ya la habían perdido de vista.

En cuanto hubo desaparecido, Rick se dejó caer en tierra, descompuesto. Montar en esa bici era como echarse encima un elefante. Esperó a que Jason lo alcanzara y se puso a caminar a su lado.

—Esto es agotador… —jadeó Jason.

Empujando la bici como iba, Rick se sentía herido en su orgullo de ciclista.

—Una vez mi padre… —empezó a decir, pero Jason le hizo señas con la cabeza de que se callara.

—No digas una palabra más. Podrías reventar de cansancio.

Rick pensó que, en realidad, los dos ya habían estado a punto de morir: a él casi le había atropellado la misteriosa mujer perfumada y Jason había caído por el acantilado.

Se quedaron callados empujando las bicis y escuchando cómo giraban rítmicamente los radios de sus ruedas.

—Ya hemos hecho lo más duro… —dijo Jason al cabo de un rato.

Y, naturalmente, en cuanto lo dijo se puso a llover.

—¿Los sábados de Cornualles son siempre así?

El muchacho pelirrojo no respondió, pero a los pocos pasos se le escapó una risa ahogada.

—¿Qué tiene eso de cómico? —preguntó Jason, aunque en realidad él también tenía ganas de reír.

Rick agitó la cabeza y se echó a reír abiertamente.

Llegaron desternillándose de risa a Villa Argo, donde Nestor los esperaba de pie ante la puerta del hogar.

Se oía crepitar el fuego en su interior.

El sol se puso entre nubes y lluvias cenicientas. Los chicos se cambiaron de ropa por tercera vez ese día. A Rick le tocó un jersey del señor Covenant y unos vaqueros demasiado grandes.

Nestor se puso a trajinar en la cocina y preparó una sopa de verduras con pedacitos de pan que olía a las mil maravillas.

La lluvia tamborileaba sobre los cristales. El fuego de la chimenea, más que el ambiente, calentaba el alma: era de un color vivo y vibraba. El crepitar de los troncos recordaba el tañido de un reloj de pared.

Nestor silbaba alegremente y removía la sopa con una cuchara de madera. Los tres chicos, secos y con ropa nueva, se colocaron en torno a la mesa de la cocina y se quedaron observándolo sin decir una palabra.

—Teléfono —dijo el jardinero al cabo de un rato.

Antes de que acabara de pronunciar la palabra, el teléfono de Villa Argo se puso a sonar.

Los padres de Jason y Julia querían asegurarse de que todo iba bien.

—Sí, sí. Todo va bien —mintió Jason—. No, ¿por qué?

Su madre le dijo que se pusiera Nestor.

—Tres angelillos —mintió el viejo jardinero—. No me he dado cuenta siquiera de su presencia. Claro. Sí. Sí, sí. No han salido del jardín. Pues claro que no. Ningún problema. Sopa de verduras. De acuerdo, de acuerdo, se lo diré. —Y colgó.

—Convendría que llames a casa, Rick —dijo, volviendo a los fogones—. Avisa a los tuyos de que te quedarás aquí a cenar. Y yo diría que también a dormir, visto lo visto. Con este temporal no te conviene volver a tu casa en bici.

—¿De verdad? ¡Sería fantástico! —exclamó él.

¡Qué día! ¡No solo se había pasado toda la tarde en Villa Argo, sino que iba a dormir en ella!

Jason lo acompañó al teléfono.

Resonó un trueno que hizo vacilar un momento la luz eléctrica. Nestor miró distraídamente cómo se atenuaba la luz de las bombillas y luego estas volvían a brillar normalmente.

—A mí no me gusta la verdura… —dijo Julia, que se había quedado en la cocina.

Tercamente sentada en un extremo de la mesa, seguía alargando el cuello y controlando el contenido de la cacerola.

—Ya lo sé, me lo ha dicho tu madre.

—¿Y usted qué le ha contestado?

—Que esta noche no comes —replicó Nestor con una sonrisa.

Echó una última mirada a la sopa, puso los trozos de pan en el horno caliente, se quitó el delantal y se dispuso a salir.

—¿Adónde va? —le preguntó Julia, recelosa.

Nestor agarró el pomo de la puerta y lo hizo girar con un clac majestuoso.

—A mi casa, a prepararme algo. Ahí está la sopa y ahí abajo el pan. Se mantendrán calientes una hora. Comed todo lo que queráis. Los platos están en la alacena. Los vasos, encima de la pila. Los cubiertos… buscadlos en los cajones. Podéis usar esta mesa o la del comedor. Cuando acabéis, recoged todo y metedlo en el lavaplatos. O dejadlo ahí encima, pero tendréis que meterlo mañana por la mañana.

Las instrucciones del lavaplatos están en ese libro. El jabón ahí abajo.

—Pero… no puede…

—¿No puedo qué?

Por la puerta entornada entraron gotas de lluvia y un viento gélido.

—No puede dejarnos así. No somos más que unos niños…

Nestor cerró la puerta sin salir.

—Escucha, Julia. Vosotros no sois más que niños, es cierto. Pero yo no soy una niñera: soy un jardinero viejo y huraño. Os he cocinado algo porque se lo he prometido a vuestros padres. Y porque es la primera vez que estamos juntos. Si te gusta, bien. Si no te gusta… —Abrió la puerta por segunda vez, dejando entrar una bocanada de viento húmedo—. Estoy a cien metros de aquí: ven a llamarme.

Y salió al aire libre, donde rugía el temporal.

Capítulo (13)
− SECRETOS A MEDIA VOZ −

Julia levantó la vista al cielo.

—¡Mira que…! —exclamó en cuanto se quedó sola en la cocina. Exactamente lo que había imaginado: ese hombre era un salvaje, un grosero y un inepto. Era normal que viviera solo: ¿quién podía soportarlo?

Bajó de la silla y se acercó a los fogones. Levantó la tapa de la cacerola y, muy a pesar suyo, tuvo que admitir que el aroma era irresistible. Su estómago rugió, como reclamándole una ración.

No eran más que las siete de la tarde pero, tras la exploración, el baño en el mar y todo lo que había venido después, la idea de un pedazo de pan crujiente bañado en sopa era poco menos que maravillosa.

—¡Mira que…! —repitió, agachando la cabeza más por una cuestión de actitud que porque tuviera la necesidad real de protestar contra algo o alguien.

—¿Mira qué? —le preguntó Jason al regresar a la cocina.

Llevaba en la mano el *Diccionario de las lenguas olvidadas* y el pergamino que habían encontrado junto a las cuatro llaves.

Dejó todo sobre la mesa de la cocina y dijo:

—¡Uauh, qué olorcito! ¿Por qué no nos pulimos rápidamente todo lo que haya?

Rick también entró en la cocina y les comunicó que podía quedarse a dormir en Villa Argo. Julia sonrió: le gustaba la idea.

Jason le alcanzó rápidamente el diccionario.

—Primero descifremos esto y luego comeremos —dijo.

De pie en su casita, Nestor permanecía contemplando la cocina de Villa Argo con la luz encendida, sintiendo cómo se agitaban en su interior muchas ideas contradictorias.

Oía a los chicos reír, hablar por los codos y llamarse a voces.

Y luego oyó el ruido de platos y cubiertos. En la vieja mansión se encendieron y apagaron muchas luces.

El jardinero sonrió: Villa Argo parecía haber renacido.

—Es como en los viejos tiempos… —murmuró.

De tanto vivir solo, se había acostumbrado a expresar sus pensamientos a media voz.

En realidad, Nestor esperaba que con esos niños la situación fuera mejor que en los viejos tiempos. Volvió a pensar en el encuentro de primera hora de la tarde con Oblivia Newton y le entraron ganas de destrozar algo.

—Esta casa nunca será tuya, Oblivia… —dijo silboteando entre dientes.

Esa joven y rica mujer de negocios administraba una gran empresa inmobiliaria. Nestor no sabía en qué consistía exactamente su actividad: solamente que vendía y compraba casas. El término técnico era «intermediaria inmobiliaria». Era capaz de ganar más dinero vendiendo una casa que el arquitecto que la había diseñado o los albañiles que la habían construido.

«Misterios del mundo moderno», pensó Nestor.

Oblivia Newton razonaba exclusivamente en términos de dinero. Nestor no.

Y esa diferencia era lo que más desconcertaba a Oblivia: había tratado de cubrir a Nestor de libras esterlinas, le había propuesto viviendas lujosas en cualquier otra parte del planeta. Habría estado dispuesta a darle todo lo que le hubiera pedido con tal de convertirse en la propietaria de Villa Argo.

—Pídeme lo que quieras —le había propuesto de nuevo esa misma tarde—, y yo te lo daré.

—De acuerdo: quiero que desaparezcas —le había replicado Nestor, haciendo que se pusiera como un basilisco.

La lluvia vespertina arreció.

Nestor pasó junto a los platos fríos de su cena, cogió de una percha su impermeable negro y se lo puso encima.

—Estoy seguro de que los chicos comprenderán por qué es tan preciosa esta casa... —murmuró dirigiéndose hacia la salida de su caseta.

Bajo un temporal cada vez más intenso, Villa Argo comenzó a gemir y rechinar. En la cocina ya no quedaba ni una gota de sopa en la olla. Los tres chicos se apretujaron y comenzaron a leer en voz alta la traducción del último pergamino. Si el primer mensaje que habían encontrado era misterioso, esta segunda pista era cuando menos incomprensible:

Si con cuatro abre una, por fortuna,
de cuatro el lema indica tres,
de cuatro irán a la muerte dos
y abajo conduce, de cuatro, una.

Jason avanzó tímidamente algunas teorías, releyendo al mismo tiempo el primer pergamino, pero todas sus interpretaciones chocaban por lo menos con dos objeciones lógicas de Rick que le cortaban el vuelo.

—El caso es —observó Rick, taciturno— que no está claro que el primer pergamino sea el primero. Quiero decir, que había más probabilidades de encontrar el segundo mensaje antes que el del acantilado. Así que, si es cierto que estamos inmersos en una especie de… caza del tesoro, no está claro que hayamos comenzado por el principio.

—En cualquier caso, ahora tenemos cuatro llaves —dijo Julia, recapitulando—. Y aquí está escrito «Si con cuatro abre una, por fortuna»… blablablá. A mí me parece que una es la puerta de allí.

—También puede ser una de las llaves —objetó Rick—. Y «fortuna» significa «coincidencia». O «suerte».

—A menos que no esté escrito que hayamos de abrirla —precisó Jason—. «Fortuna» también puede significar «destino».

Él no creía que se hubiera quedado colgado de la grieta del acantilado por una simple coincidencia. O por suerte.

Aquel suceso estaba escrito en su destino.

Jason se dirigió a la habitación de piedra sin encender las luces, precediendo a sus amigos. Atravesó dos salones que, en la oscuridad, parecían lúgubres: los objetos que decoraban las estancias recordaban a figuras dormidas. La lluvia y el viento seguían arreciando, hasta el extremo de que a veces la casa parecía a punto de caer deslizándose por el acantilado. La torrecilla que coronaba la escalera gemía bajo las ráfagas de la tormenta, mientras fuertes corrientes de aire barrían la escalinata.

Jason había cogido las cuatro llaves. Notaba su peso en los bolsillos del pantalón. Las buscó maquinalmente y las apretó con la mano. Llegó a la habitación de piedra y buscó a tientas un interruptor de luz.

Estaba todo oscuro como boca de lobo.

Un rayo blanco rasgó de repente la noche. Jason miró hacia la ventana.

Y vio delante de él un rostro que lo observaba.

Dio un grito.

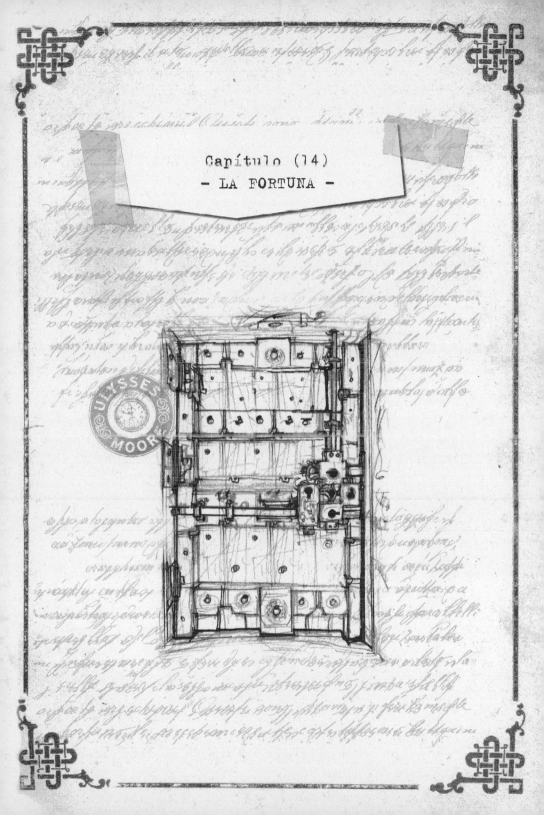

Capítulo (14)
– LA FORTUNA –

Al oírlo, Rick y Julia entraron precipitadamente en la habitación de piedra y encendieron la luz. Vieron a Jason tendido en el suelo, encogido sobre sí mismo como si le hubieran pegado. Las llaves se le habían caído del bolsillo.

—¡Está aquí, está aquí! —chillaba, al tiempo que señalaba la ventana y sollozaba.

—¿Quién? ¿Quién está aquí? ¿Dónde? —le preguntó Julia, tratando de calmarlo.

Pero también ella tenía los pelos de punta: todo cuanto sucedía a su alrededor le provocaba pánico.

—¿Qué has visto, Jason? —le preguntó Rick.

La luz de la bombilla del techo se atenuó.

—El rayo… el rayo… —farfulló Jason. Encogido sobre el suelo, parecía más pequeño aún que un niño de once años—. Había un hombre por fuera de la ventana. ¡Lo he visto! Llevaba una capa, una capa larga y negra y ¡miraba hacia dentro!

Jason tenía los ojos tan desorbitados y aterrados que Julia no tuvo más remedio que creerlo.

—¿Un hombre, Jason?

—Sí… —murmuró él—. Un hombre.

—¿Están cerradas todas las puertas? —preguntó Rick, con un espíritu práctico envidiable.

Julia recorrió todos los accesos de la planta baja, encendiendo todas las luces que hallaba a su paso.

Por suerte los encontró todos cerrados por dentro.

Regresó a la habitación de piedra, donde Jason se había calmado un poco.

—Era el fantasma del viejo propietario... —prosiguió—. Tienes que creerme, Rick. Era horrendo, con una cicatriz que le cruzaba el rostro de lado a lado...

—Está todo cerrado —dijo Julia—. No puede entrar nadie. Y si fuera hay alguien, tendrá que vérselas con Nestor.

Se sentó sobre el suelo y reunió las llaves. Aligátor, rana, erizo y bisbita.

—¿Y arriba? —preguntó Jason con un hilo de voz.

—¿Y arriba qué?

La luz de la casa perdió aún más potencia. Después de un rayo se oyó retumbar un trueno y, al poco, la luz eléctrica se fue del todo.

—Oh, no... —susurró Julia.

Enseguida volverá la luz les dijo Rick, tratando de tranquilizarlos.

—¿Lo oís? ¿Lo estáis oyendo? —volvió a decir Jason.

Julia sintió un escalofrío producido por una corriente súbita de aire y agitó las manos en la oscuridad hasta que logró aferrar los brazos de Rick y de su hermano.

—¿Qué oímos, Jason? —logró balbucir.

Él se quedó callado.

Pero ahora también ella lo oía.

Era el viento.

Era la lluvia.

Era la tormenta nocturna.

Era la ventana de la torrecilla, que golpeaba rítmicamente contra la jamba.

Como si fueran pasos.

Julia se mordió el labio. No quería llorar. Pero tenía tanto miedo, tanto miedo que le habría gustado de verdad que su madre y su padre hubieran estado ahí con ellos.

La cara de Rick resplandeció de repente en la oscuridad.

—Un mechero —dijo el chico de Kilmore Cove—. Mi padre decía que siempre es bueno llevar uno encima. —Se liberó lentamente de la presa de Julia y añadió—: Voy a cerrar la ventana de arriba.

—¡No! —chilló Julia.

—¿Por qué no?

—Quédate, quédate aquí —le ordenó—. No nos movamos hasta que vuelva la luz…

—¿Sabéis si hay velas? ¿O linternas? —preguntó Rick.

Apagó el mechero.

—¿Qué ocurre? —preguntó Jason alarmado.

—Me estaba quemando los dedos —le explicó Rick.

Y volvió a encender el mechero.

—Me parece que en la cocina hay velas. Las he visto sobre una viga —susurró Julia.

—Vale, entonces voy a…

—¡No! —chilló Julia de nuevo, aferrándolo por el brazo.

Decidieron ir juntos a por las velas. Rick hizo de guía,

encendiendo el mechero a intervalos breves, suficientes para orientarse, salir de la habitación de piedra y atravesar los salones.

Cuando entraron en la cocina volvió la luz.

Villa Argo volvía a estar iluminada por doquier, pero se trataba de una luz danzarina, que en cualquier momento podía abandonarles otra vez. Cogieron tres velas, subieron las escaleras que conducían a la torrecilla y cerraron por tercera vez aquel día la ventana mal ajustada.

Mientras bajaban a la planta inferior, Rick observó sin querer, absorto en sus pensamientos:

—¿Os habéis fijado en cuántas ventanas hay en la torre?

—No, ¿cuántas?

—Una por lado. Cuatro.

Y añadió:

—«Si con cuatro abre una, por fortuna»... podría referirse a las ventanas.

Jason meditó un rato esa idea y luego sacudió la cabeza:

—No, no creo. Cuatro se refiere a las llaves, mientras una... una es...

—La suerte —terminó Julia en su lugar.

Solo dejaron encendida la luz de la habitación de piedra y se refugiaron en ella. Jason seguía echando miradas a la ventana.

Juntos se sentían más seguros y se pusieron a examinar con atención las cuatro cerraduras de la puerta.

Eran cuatro agujeros circulares, idénticos, dispuestos de esta manera:

No había ningún indicio sobre el modo de utilizar las llaves que obraban en su poder.

—Yo propongo que probemos a ojo… —dijo Julia al cabo de un rato de reflexión.

Rick negó con la cabeza:

—No se puede probar a ojo. Debe de haber un orden, un esquema. Cocodrilo, erizo, rana y bisbita… ¿qué relación hay entre estos animales?

—Ninguna: el mensaje dice «por fortuna»… —le recordó Jason.

—Ya sé lo que dice el mensaje —replicó Rick, impaciente—, pero nosotros debemos seguir un plan.

—Probemos las llaves. Si giran, hemos acertado. Si no giran, nos hemos equivocado. ¿Qué os parece mi plan?

—¿Y si rompemos algún mecanismo? —replicó Rick—. A lo mejor solo hay una posibilidad de llegar al tesoro.

—Probemos con la bisbita arriba —dijo Jason.

—¿Por qué?

—«B» de bisbita. Es el primer animal por orden alfabético.

—Y la «c» de cocodrilo, ¿dónde la metemos? ¿En la cerradura de la izquierda o de la derecha? —le preguntó Rick.

Jason no supo qué contestar.

—Además convendría darles el nombre correcto: se ve a la legua que esto se parece más a un aligátor que a un cocodrilo.

—No sabía que fueras un experto en animales… —le dijo Julia, admirada.

—Y los otros, ¿entonces? Y este, ¿qué tipo de bisbita es?

—Una bisbita común —respondió Rick—. Una bisbita, sin más. Son pájaros de pico largo y hermoso canto.

Jason le tendió la llave con el puerco espín.

—En cambio, este es más un erizo que un puerco espín… El puerco espín es más grande… Es un erizo, no hay duda.

Solo quedaba la llave de la rana. Que no era un sapo ni una ranita de san Antonio. Era una rana rana.

—Veamos… si el erizo se come a la rana… —aventuró Julia.

—La rana no se come a la bisbita.

—En cambio, el aligátor se los come a todos, aunque con el erizo deba tener mucho cuidado.

Como no lograban colocar los animales según la cadena alimentaria, examinaron las zonas geográficas en las que vivían, partiendo de la premisa de que la cerradura superior representaba el norte y la de abajo el sur.

—Los erizos son sobre todo americanos. Oeste. Cerradura de la izquierda.

—¡Pero las ranas viven en todas partes! —dijo Julia gimiendo.

Probaron con las dimensiones y luego con los colores.

Pero, por más que lo intentaron, no lograron encontrar ningún nexo lógico entre las cuatro llaves.

Al final Julia se impacientó con aquellas tentativas inútiles de utilizar la lógica. Agarró la llave del aligátor y la metió de golpe en la cerradura superior de la puerta.

Le dio la vuelta y… «clac».

—¡Ha girado! —dijo exultante.

Jason y Rick fueron corriendo a su lado con las demás llaves.

—¿Cómo lo has hecho? —le preguntó Jason.

—La he cogido, la he metido dentro y le he dado la vuelta. Dame las otras.

—¿Cuáles quieres?

—La rana —decidió Julia.

La tomó, la metió en la cerradura que había a la izquierda de la que acababa de abrir y le dio la vuelta.

«Clac.»

—¡El erizo! —ordenó Julia.

«Clac.»

—Y, por último… ¡la bisbita!

Julia cogió la última llave y la metió en la cerradura que había en la base de la cruz. También esta vez la llave entró y giró con facilidad.

«Clac.»

—Hecho —dijo Julia mirando la puerta.

—¿Hecho qué? —le increpó Jason.

—He abierto todas las cerraduras.

Rick apoyó una mano en la puerta y le dio un ligero empujón. Luego agarró una de las llaves y tiró suavemente de ella.

—A mí me parece que la puerta está más cerrada que antes.

Julia se llevó una gran desilusión. Dio un par de vueltas más a la llave de la bisbita.

«Clac. Clac.»

—Giran en vacío… —observó.

Les dieron cuatro vueltas a todas.

Y luego otras dos vueltas más.

La puerta se quedó cerrada.

Rick sonrió:

—¿Lo veis? Hace falta una regla para abrir esta puerta.

—¡Ábrete, ábrete! —chilló Jason aporreando la madera. Sus puñetazos retumbaban como una amenaza—. ¿Habéis oído? —susurró luego, mientras permanecía apoyado contra la puerta—. Por detrás está vacío.

Mientras Jason y Julia cambiaban las llaves de cerradura y las hacían girar en vacío, Rick cogió la traducción del pergamino y comenzó a estudiarla línea a línea.

«De cuatro el lema indica tres»… ¿qué lema? «De cuatro

irán a la muerte dos»… ¿Cuáles de aquellos animales conducían a la muerte? Y ¿cuál, en cambio, llevaba abajo?

Mientras Rick se rompía la cabeza, Jason trató de usar una sola llave en las cuatro cerraduras: la metía dentro, hacía saltar el mecanismo, la sacaba y la metía en la cerradura siguiente.

Para probar las cerraduras probó en el sentido de las agujas del reloj, en sentido contrario, primero desde arriba y luego desde abajo, a la izquierda y a la derecha…

Pero pese a que hizo mil intentos, la puerta permanecía herméticamente cerrada.

Cuando se cansaron, Jason y Julia se sentaron junto a Rick.

Julia se había convencido de que las cuatro llaves, en realidad, no servían para abrir la puerta.

—A lo mejor nos haría falta una fórmula mágica, como «¡Ábrete, Sésamo!».

—O como «Habla, amigo, y entra…» —añadió Jason pensando en *El señor de los anillos*.

—¿Qué has dicho? —Rick dio un respingo y sobresaltó a sus amigos.

—«Habla, amigo, y entra» —respondió Jason—. La frase élfica que Gandalf lee sobre el portal de Moria…

—No, tú no. Julia… ¿qué fórmula mágica has dicho?

—He dicho «Ábrete, Sésamo»

—Ábrete, Sésamo… —Rick volvió a leer la primera línea de la traducción en voz alta y luego exclamó—: ¿Será posible?

—¿Qué?

Rick, agitado como nunca en su vida, puso las llaves una al lado de la otra: «b» de bisbita, «a» de aligátor, «r» de rana... y... y...

—«E» de erizo —dijo Julia y luego miró a Jason . ¿Y entonces?

—B... A... R... E... —murmuró este.

—¡No! ¡«Bare» no!

Rick se puso de pie de un salto, cogió la llave del aligátor y la metió en la cerradura de arriba.

«Clac.»

—En efecto... están dispuestas como las agujas de un reloj —susurró.

A la derecha puso la bisbita, a la izquierda el erizo.

«Clac. Clac.»

—¡«Bare» no, Jason! Está escrito en el mensaje: «con cuatro ABRE una, por fortuna».

Metió la llave de la rana en la cerradura inferior y luego observó el resultado.

A

E   B

R

Dio una vuelta a la llave.

«Clac», hizo la cerradura.

Y la puerta se entreabrió.

Capítulo (15)
– DONDE TODO EMPIEZA Y TODO ACABA –

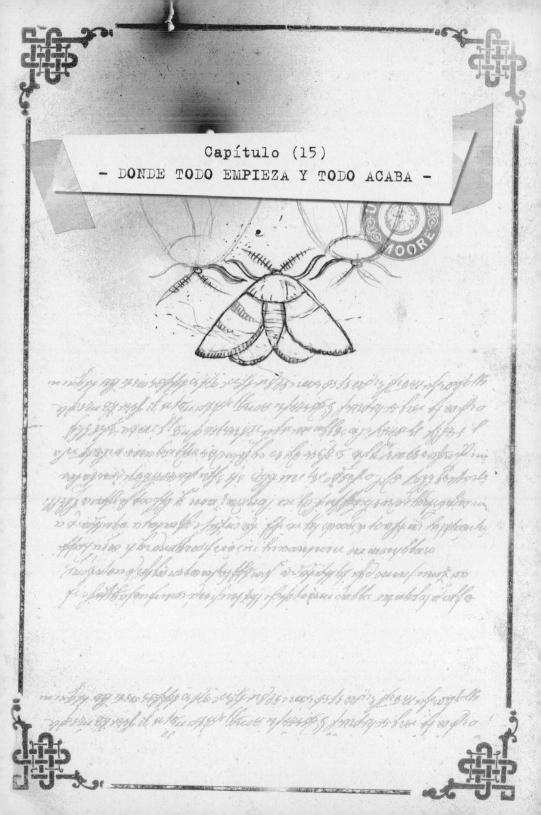

Rick dio unos pasos atrás y luego se dejó caer en tierra, conmocionado.

—¡Lo has conseguido! ¡La has abierto! —le gritaron Jason y Julia.

Se acercaron a la puerta con el corazón saliéndoseles por la boca. Era maciza y pesada y se sujetaba a la robusta jamba con unos goznes de hierro.

Por detrás se entreveía una habitación débilmente iluminada por la luz eléctrica de Villa Argo.

Jason tragó saliva. Los truenos retumbaban en el aire.

—Vamos… —dijo.

Rick, todavía en el suelo, miraba la puerta entornada sin creer que hubiera sido capaz de abrirla. Al ver a Jason dar un paso hacia la habitación que había detrás, lo detuvo.

—No podemos entrar así —le dijo—. Pensemos primero en lo que nos puede hacer falta. Velas. Los dos pergaminos. El diccionario.

—Perdona, pero ¿para qué queremos el diccionario? —objetó Julia.

Rick fue a buscar el *Diccionario de las lenguas olvidadas*.

—Quizá haya otros mensajes que transcribir.

Jason cogió la caja llena de bolitas de arcilla y el diario egipcio en el que habían encontrado el recibo postal.

Rick comprobó que su mechero funcionaba, fue corriendo a la cocina a coger un cuchillo y dijo:

—Solo nos falta una cuerda. ¿Sabéis de dónde podemos sacar una?

—¡Uff, cuántas historias! —exclamó Julia—. ¡Como si nos fuéramos de viaje a la Amazonia! ¡Echemos solamente un vistazo, venga!

Y atravesó el umbral.

Jason la siguió.

La oscuridad de la estancia pareció tragarse a los gemelos.

—¡Rick, trae el mechero! —exclamó Julia—. No se ve nada.

—¡Voy! Tened cuidado, ahí dentro podría haber un pozo o quién sabe qué.

Al comprender que era más que posible, los gemelos se quedaron inmóviles como estatuas.

—Ri-iick... —balbució Jason—. ¿Pue-eedes venir con ee-el mechero?

Rick renunció definitivamente a buscar la cuerda. Recogió las cuatro llaves y encendió una de las velas.

Estaban en una habitación circular, más bien pequeña, hecha por entero de piedra. Tenía cuatro salidas, incluida aquella por la que acababan de entrar. El suelo estaba formado por bloques cuadrados adosados. Parecía el interior de una torre medieval.

Rick usó la llama de su vela para encender las de Julia y Jason. Luego, aprovechando el haz de luz eléctrica que venía de sus espaldas, empezaron a investigar.

—Cuatro salidas... —dijo Rick—. Como está escrito en el mensaje.

—El lema indica tres…

—Una sola conduce abajo…

—Y dos van a la muerte…

Las puertas de salida de la habitación eran simples vanos oscuros en cuya parte superior estaban encajadas tres grandes piedras macizas dispuestas en forma de «u» invertida.

—¡Ay! —gritó Jason, que se había quemado con la cera de la vela.

Sobre los pedruscos que sobresalían de cada uno de los vanos, se habían esculpido algunas figuras estilizadas.

—¡Oh, no! —gimió Julia al verlas—. ¡Más animales!

Por encima de ella, en el pedrusco que tenía delante, estaba representada una manada de toros que corrían.

—Aquí hay bisontes o toros, no sé… como los que pintaban los hombres primitivos —dijo.

—Yo en cambio tengo peces, un banco de peces —comentó Jason.

—Mariposas… —dijo Rick—. Mejor dicho: esfinges.

—¿Esfinges?

—Las mariposas que se despiertan de noche. ¿Cómo las llamáis vosotros? ¿Falenas? Esas mariposas negras, peludas…

Julia hizo una mueca de disgusto y miró qué animales había sobre la última puerta, aquella por la que habían entrado.

—Esta es la puerta de los pájaros… —dijo subiendo y bajando su vela.

—¿Qué pájaros?

Rick se acercó a ella y miró la piedra labrada del arquitrabe.

—Albatros. Albatros aulladores.

Al ver que los gemelos lo miraban con ojos sorprendidos, Rick añadió:

—Los albatros son los pájaros de los marinos. Son migratorios. Los llaman así porque, cuando cantan en el cielo, parece que estén aullando.

—¡Qué alegría!

Les llegó el retumbar de un trueno a través de las ventanas. La luz eléctrica de Villa Argo volvió a atenuarse, temblequeó y al final se apagó.

—Vaya, perfecto.

—Nos hemos quedado a oscuras.

Instintivamente, Rick, Jason y Julia protegieron las llamas de sus velas y se apretujaron unos contra otros en la oscuridad.

Fue Jason el que descubrió las letras.

Aún no había vuelto la luz a Villa Argo y en la habitación de piedra había una molesta corriente de aire que hacía inclinarse peligrosamente la llama de las velas, obligando a los chicos a desplazarse con suma lentitud. Al recorrer la circunferencia de la habitación, Jason advirtió que había una secuencia de letras esculpidas en el suelo.

—¡He encontrado el lema! —gritó exultante—. ¡Venid a verlo!

Julia y Rick se acercaron. Jason estaba inclinado sobre el suelo y acariciaba con un dedo las letras que, a una distancia regular entre sí, formaban una frase única, larguísima.

—O… M… E… M… O… T… —empezó a leer Jason, feliz por su éxito. Por suerte eran letras normales—. Para esto no hace falta diccionario…

Pero se equivocaba.

Dio la vuelta entera a la habitación sin haber comprendido nada de cuanto había leído. El mensaje cubría uniformemente toda la circunferencia del suelo, pero no parecía tener principio ni fin. Era solo una secuencia incomprensible de letras.

—¡No tiene ningún significado! —se lamentó.

También Julia trató de leer algo, pero fue en vano. Rick, en cambio, se limitó a sonreír.

—El lema es una prueba más… —dijo—. Un mensaje secreto por descifrar. Como el de las cuatro llaves. Como el de los jeroglíficos.

—¡ABIUSROMEMOT! —gritó Jason con rabia y sin parar de leer.

Mirando a su hermano, hasta a Julia se le escapó una sonrisa.

—¡Fantástico! Estamos en plena oscuridad, en una habitación secreta de una casa construida a pico sobre un acantilado, en medio de una tormenta y con un mensaje secreto por descifrar. ¿Quién tenía miedo de que nos fuéramos a aburrir en Kilmore Cove?

Rick se sentó en medio de la estancia, dejó caer un poco de cera sobre el suelo y pegó encima la vela. Luego cogió la hoja sobre la que habían escrito la transcripción de los dos mensajes anteriores, el único bolígrafo que funcionaba, y le pidió a Jason que le dictara las letras esculpidas sobre el pavimento.

—Julia, tú quédate quieta ahí, así Jason sabrá cuándo ha dado una vuelta entera.

—Yo no quiero morir… —dijo Julia.

—Y no morirás —replicó Rick—. La puerta por la que hemos entrado sigue ahí y sigue abierta: no estamos obligados a seguir adelante.

—¿Estás seguro?

—Claro; podemos dar marcha atrás en cualquier momento.

—M… O… R… S… U… —comenzó Jason.

Rick hizo que Jason diera dos vueltas para asegurarse de haberlo escrito bien.

Al final el mensaje decía:

MORSUIBAABIUSROMEMOTEPSEESPETOME

—Bien… —murmuró—. Es incomprensible.

—Déjame ver.

—Jason se sentó a su lado, leyó las letras y observó que había dos «aes» juntas.

—Sepáralas a ver qué pasa.

Rick obedeció, y dibujó una raya entre las dos «aes».

MORSUIBA/ABIUSROMEMOTEPSEESPETOME

Leyó:

—MORSUIBA… Me recuerda a algo… —comentó luego.

—Estás bromeando, ¿verdad?

—No, esta palabra, «morsuiba», la he visto escrita en el diccionario.

Jason se puso en pie de un salto, entusiasmado:

—¿Lo dices en serio?

—Podría ser. Vamos a echarle un vistazo.

Rick se arrodilló con el diccionario entre las piernas y comenzó a hojear las páginas de los lenguajes más remotos. Los dos hermanos, fascinados por la atmósfera de misterio que los rodeaba, lo miraban conteniendo el aliento.

—¡Aquí! —saltó Rick, señalando un capítulo del diccionario llamado «El lenguaje del pueblo de la luna»—. ¡Mirad aquí! La palabra «suiba» quiere decir «rápidamente».

A lo mejor habían identificado una palabra de todo el mensaje.

—Probemos a traducir el resto —propuso Rick.

—¡Eh! —exclamó en ese momento Jason—. Se puede leer desde los dos extremos… ¡El resultado es el mismo!

Partiendo desde la «a» y leyendo las letras hacia la derecha, podía leerse «ABIUSROME», etcétera. Y lo mismo ocurría si se leía de derecha a izquierda. Pero no solo eso: al lle-

gar al final de la frase, ya fuera por la izquierda o por la derecha, se podía seguir leyendo comenzando por el otro extremo, como si fuera un anillo.

Era una frase circular, que podía leerse en ambas direcciones, que no tenía principio ni fin. Una frase mágica.

Una frase que, al menos de momento, no significaba absolutamente nada.

De modo que los chicos se enfrascaron en la transcripción de un mensaje en la lengua del pueblo de la luna, un pueblo del que no se decía una sola palabra en sus libros escolares. Pero tenían la suerte de contar con el *Diccionario de las lenguas olvidadas*, que parecía hecho aposta para ayudarles en su trabajo. Con ayuda del libro lograron identificar y separar las distintas palabras que componían la frase circular.

Organizado y dividido en palabras, el lema sonaba así:

ES PET OMEMOR SUIBA ABIUS ROMEMOT EPSE

En ese momento fue cuando el diccionario obró milagros: en menos de un cuarto de hora, todas las palabras fueron transformadas en su equivalente actual.

O, lo que es lo mismo:

DE NOCHE NOS MOVEMOS RÁPIDAMENTE PORQUE
TEMEMOS EL FUEGO ARDIENTE

Acabada la transcripción, Rick cerró el diccionario. Los chicos se quedaron un rato en silencio, reflexionando sobre el sentido de la frase, hasta que Julia preguntó:

—¿Y ahora qué?

La cabeza empezaba a darle vueltas: siempre había preferido la acción a la meditación, hacer las cosas antes que pensar demasiado en ellas. Esa larga serie de enigmas estaba acabando con su resistencia. Pero al mismo tiempo le sorprendía la habilidad de Rick y le enorgullecían las intuiciones imprevisibles de su hermano.

Jason agitó la cabeza.

Rick, en cambio, dijo:

—He comprendido cuál es la puerta que conduce abajo.

Los gemelos lo siguieron mientras se acercaba a la puerta por la que habían entrado en la habitación, la puerta sobre la que estaban esculpidos los albatros.

—Como ya os he dicho, estos son pájaros migratorios: de noche descansan sobre las olas, sobre los escollos o las vergas de las embarcaciones. Así que «no se mueven de noche».

Luego pasó a la puerta de los peces.

—Estos nadan por debajo del agua, de modo que es difícil que «teman el fuego».

Delante de la puerta con la manada de toros, añadió:

—Estos animales, en cambio, pueden moverse de noche y pueden temer el fuego ardiente. En la antigüedad, los cazadores usaban el fuego justamente para cazarlos y cocinarlos... Pero no creo que el lema se refiera a ellos. No creo que de noche sean particularmente rápidos.

Rick se acercó a la última salida, que daba paso a una oscuridad impenetrable. Levantó la vela para iluminar los perfiles de las tres mariposas nocturnas esculpidas sobre la piedra.

—El lema se refiere a las falenas. Solo se mueven rápidamente de noche y tienen miedo de las llamas ardientes, porque el fuego las atrae. Y las quema.

Julia distinguió claramente lo que parecía una calavera esculpida sobre el dorso de una de las mariposas nocturnas.

—Pero... si esta es la puerta correcta... —observó—, ¿por qué han grabado una calavera sobre esa mariposa? Equivale a «muerte»...

Rick agitó la cabeza.

—No es una calavera. Es una mancha que puede parecer una calavera, pero es solo una ilusión óptica.

—En cualquier caso, Rick tiene razón... —decidió Jason, adelantando la vela para tratar de atisbar algo por detrás del vano—. El mensaje dice que «de cuatro el lema indica tres» y aquí hay tres mariposas representadas. Tenemos que seguir adelante por ese lado.

—No tenemos por qué hacerlo ahora mismo... —dijo Rick.

—Claro que sí —replicó Jason—. No estamos aquí por casualidad. Hemos venido para llegar hasta el final.

Capítulo (16)
– LA ESCALERA TENEBROSA –

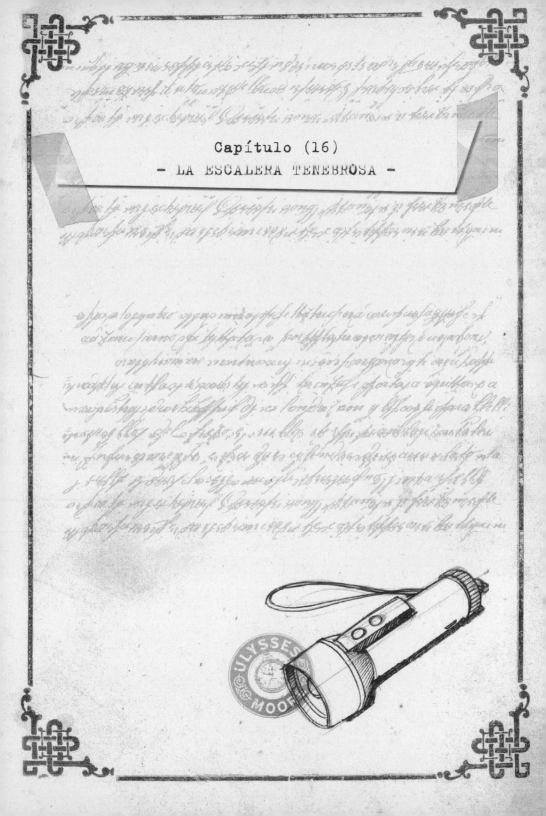

Del otro lado del umbral había una escalera. Jason bajó un poco la luz de la vela para poder distinguir mejor los empinados escalones que parecían hundirse en vertical.

—¡Es justo por aquí! —exclamó, radiante—. ¡Hay una escalera que baja, como dice el mensaje! ¿A qué estáis esperando?

Rick y Julia lo siguieron, dubitativos.

Los escalones estaban tallados en la roca viva, al igual que las paredes que los rodeaban. Cuanto más descendían, más intenso era el olor a mar empujado por una corriente de aire gélido. El salitre lo cubría todo de una pátina húmeda y brillante.

Jason bajaba el primero, cinco escalones por delante de los demás. La luz de su vela dibujaba reflejos tornasolados sobre las paredes irregulares de la escalera.

A medida que la oscuridad se hacía más profunda, las luces de los tres chicos parecían ir empequeñeciendo.

—Jason… —dijo Julia lloriqueando, al ver que la escalera seguía descendiendo y que las corrientes de aire se hacían más y más frecuentes—, ¿por qué no volvemos?

Pero Jason, si la oyó, no reaccionó.

En lugar de contestar, exclamó:

—¡Venid, venid a ver esto!

Julia aferró a Rick por el brazo y siguió agarrada a él. Y finalmente llegaron al pie de la escalera. El techo era un poco más alto que ellos y más adelante se rebajaba.

Unos metros por delante, Jason se inclinó para apartar

algunas piedras que obstruían el paso. Con cada piedra que quitaba aumentaba el caudal de viento helado que se le echaba encima y subía vertiginosamente escaleras arriba.

—Jason… —gimoteó Julia.

Su hermano le hizo señas de que callara. Desplazó la última piedra y levantó un dedo, invitándoles a escuchar.

Se oía el ruido del mar, lejano pero inconfundible.

—La gruta… —susurró Jason—. Ya estamos cerca, se diría que está aquí detrás.

—¿Y si hemos escogido la puerta equivocada? —se preguntó en voz alta Julia.

La sola idea de seguir adelante en medio de las tinieblas por ese pasaje tan estrecho la hacía estremecer de miedo.

Pero Jason no le dio tiempo a decir más. Se puso a cuatro patas y con su vela iluminó el pasadizo que acababa de liberar de las piedras.

Sin pensar demasiado en lo que hacía, se deslizó por la abertura.

Rick y Julia lo oían jadear. Al poco rato, Jason exclamó:

—¡Hecho! Estoy otra vez de pie, chicos, ¡venid!

—¿Qué se ve? —le preguntó Rick haciendo señas a Julia de que pasara la primera.

—Aquí el pasadizo es más alto y prosigue como antes. Y luego parece que… gire hacia la izquierda —respondió Jason.

Julia se acuclilló. La roca estaba fría y mojada. Cerró los ojos y se deslizó por la abertura por la cual había desaparecido poco antes Jason. Por una vez, su hermano había dicho la verdad: al cabo de unos pocos metros, pudo ponerse de nuevo en pie. Se dio la vuelta para mirar el agujero por el que acababa de entrar, preguntándose por qué razón el pasaje debía ser tan angosto. Si no hubieran estado tan delgados, difícilmente habrían podido deslizarse por la abertura.

Sin embargo, del otro lado de ese pasadizo estrecho las cosas iban mejor solo en parte. De momento, Julia ya no tenía aquella terrible sensación de ahogo, porque el frío era más intenso. Pero la corriente de aire que subía hacía bailotear peligrosamente la llama de las velas.

La chica se apartó de los ojos y la frente los cabellos pegados por un sudor gélido y trató de distinguir algo. Al poco tiempo salió también Rick del pasadizo, resoplando y empujando por delante de él el *Diccionario de las lenguas olvidadas*, del que no quería separarse por nada del mundo.

—Habríamos tenido que coger linternas eléctricas… —observó, protegiendo la llama de su vela con las manos.

Jason, radiante, avanzó por el corredor. Julia iba detrás, con una mano apoyada en el hombro de su hermano. Rick cerraba la marcha.

Como había dicho Jason, al cabo de pocos metros el pasillo giraba. De repente los chicos recibieron una especie de latigazo de aire glacial que apagó sus velas y los dejó sumidos en la más profunda oscuridad. Julia chilló y tiró de Jason.

El aire gélido desapareció ululando por entre las rocas, subió por la escalera y llegó hasta la habitación circular de la que habían salido. Se oyó un ruido lejano, sordo y seco.

—¡Oh, no! —exclamó Rick, dándose la vuelta en la oscuridad.

—¿Qué… qué pasa, Rick? —lo llamó Julia—. ¿Jason? ¿Jason, dónde estás?

—Aquí —exclamó su hermano delante de ella—. ¿Qué ha ocurrido?

—¡Creo que la corriente ha cerrado la puerta! —dijo Rick.

—¿Qué puerta? —dijo Julia, asustada.

—La única puerta que se podía cerrar: la puerta por la que hemos entrado. ¿No has oído el golpe?

Algo viscoso rozó el brazo de Julia, que gritó al instante.

—¡Soy yo! —dijo Jason—. Un poco de calma, chicos. No ha pasado nada. Rick, tenemos que volver a encender las velas.

Se juntaron a tientas en las tinieblas. Rick sacó el mechero y trató de reavivar la mecha pero, en cuanto lograba arrancar una minúscula llama al pedernal, el aire frío del corredor la apagaba.

—¡Con esta corriente es imposible! —se lamentó después de numerosas tentativas inútiles.

Los tres trataron de formar una barrera con sus cuerpos, pero el mechero no producía más que chispas mortecinas. Tuvieron que resignarse a utilizarlo solo como luz intermitente.

—¡Volvamos! —insistió Julia, convencida definitivamente de que seguir adelante por aquella especie de galería sin fondo era una locura.

—¡Volver! ¿Adónde? —respondió Jason—. ¿No has oído a Rick? ¡La puerta de Villa Argo se ha cerrado!

—¡Basta con volverla a abrir! Tenemos las llaves, ¿no? Rick las ha cogido.

—¿Había cerraduras por dentro de las puertas?

—Pues claro que las había… —contestó Julia. Recapacitó. No estaba en modo alguno segura de que también hubiera cerraduras por dentro—. ¿Alguno de vosotros se ha fijado?

Hubo un largo momento de silencio, interrumpido solamente por el silbido del aire y por las olas que rompían con un ruido sordo contra las rocas.

—Yo no.

—Yo tampoco.

—¿Rick?

Ni siquiera el diligente y certero Rick tuvo una respuesta segura en esa ocasión.

—Esperadme aquí. Voy a volver a mirar.

—¡No! —gritó Julia—. ¡Quedémonos todos aquí!

—¿Aquí dónde? ¿El corredor sigue adelante?

Los chicos comenzaron a explorar lentamente el recinto en el que se habían detenido con la ayuda de las chispas del mechero.

—Cuando giramos se formó de repente una corriente de aire, la misma que ha hecho cerrar la puerta, como si al apartar aquellas piedras hubiéramos abierto una especie de camino que llevara directamente a Villa Argo.

—Pero la corriente no se formó cuando Jason apartó las piedras, sino solamente cuando llegamos aquí. El aire llega de muy cerca pero ¿de dónde?

—¡Oh, no! —gimió Jason al descubrirlo— No podemos seguir adelante, chicos…

—¿Qué quieres decir con que no podemos… seguir adelante? —preguntó Julia.

—Que la galería acaba en el vacío —observó Jason—. Hay una especie de pozo por el que sube el aire helado.

Pocos pasos por delante de ellos, el suelo de la galería desaparecía de pronto: donde debería haber rocas sólidas, no había más que un abismo negro.

—¿No será una trampa? —preguntó Julia.

—No entiendo qué quieres decir.

—La corriente de aire que apaga las velas y nos deja encerrados aquí dentro… de modo que, sumidos en la oscuridad, caigamos al vacío. «De cuatro irán a la muerte dos.»

—Tú y yo, Julia… —dijo Jason—. Si no hubieras gritado y no hubieras tirado de mí, me habría caído en el vacío. Ha faltado muy poco.

Rick meneaba la cabeza.

—Debe de haber una explicación lógica. Seguro. El aire no ha llegado de abajo. Ha sido aspirado… desde arriba.

—¡La ventana! —exclamó Jason—. A lo mejor se ha vuelto a abrir la ventana que hay al principio de la escalinata.

Rick asintió.

—Sí. La ventana ha dejado pasar la corriente a través de la habitación circular, la escalera… tú has reabierto el paso de aire y ahora… estamos encerrados delante de este agujero.

—¡Tendríamos que haber atrancado la ventana! —intervino Julia—. Y haber comprado una linterna por lo menos.

Jason estaba absorto en sus pensamientos. Cuando habló, lo hizo como si pensara en voz alta:

—Según vosotros, si saltáramos por encima de este agujero, ¿podríamos encender de nuevo las velas?

—¿Y cómo lo franqueamos? —preguntó Julia—. No sabemos lo profundo ni lo ancho que es y no tenemos nada para alumbrarnos, a menos que quememos el *Diccionario de las «tonterías» olvidadas*, claro.

—Ya os había dicho yo que cogiéramos una cuerda… —farfulló Rick.

Julia decidió que era hora de imponerse.

—Lo único que podemos hacer es volver. Cuando estemos arriba, miramos si la puerta se puede abrir desde dentro. Si no, gritamos hasta que Nestor nos venga a abrir.

—¿Y si no nos oye?

—Entonces exploramos las otras dos puertas de la habitación circular…

—El mensaje decía que las otras dos salidas conducen a la muerte…

En ese lóbrego subterráneo, la risa histérica de Julia rechinó como una tiza sobre la pizarra.

—¿Y a ti esto qué te parece, Rick? Estamos a un paso del precipicio, sin luz, obligados a movernos a tientas y a tocarnos con las manos para asegurarnos de que no falta nadie…

Julia movió las manos para dar más énfasis a sus palabras y… en el lugar donde debía estar el brazo de su hermano, no halló más que aire.

—¿Jason? ¿Dónde te has metido?

Había desaparecido.

Capítulo (17)
- EL PEQUEÑO CAPITÁN -

En realidad, Jason estaba a pocos pasos de su hermana. Pero se sentía a mil años luz de distancia. Oía a lo lejos la conversación de Julia y Rick y no estaba de acuerdo en lo que decían. Estaba seguro de haber dado con el pasadizo correcto. No lo había dudado ni siquiera al deslizarse por el estrechamiento en las rocas, y aún menos entonces que el suelo había desaparecido.

Arrastrando los pies por el suelo, había alcanzado el borde del abismo. Tenía la punta de los zapatos extendida sobre el vacío y esa sensación le daba vértigo. El aire fresco que provenía de abajo resbalaba por su piel como una caricia gélida, perfumada de mar.

Abismo… Jason pensó en esa palabra horrenda, que describía un barranco sin fondo, oscuro y gigantesco. Un precipicio infinito.

Sin embargo, no estaba seguro de que fuera cierto. Se habían quedado sin luz antes de darse cuenta de lo que tenían delante.

Si no se hubiera formado la corriente de aire, si hubieran tenido otra luz que la de las velas…

Aunque quizá sí que tenían otra luz.

Jason apretó con la mano la caja de madera que llevaba en el bolsillo. La caja llena de bolitas de «tierra-luz».

«En la oscuridad de la gruta puedes usar la tierra-luz para iluminar la flota…»

Sacó lentamente la caja del bolsillo. La abrió. Algunas bolitas de arcilla cayeron en su mano y luego en el vacío.

Una, dos, tres…

Las bolitas rebotaron contra algo, se rompieron y los pedazos siguieron cayendo.

Cayeron en picado.

Jason oyó la voz de su hermana que lo llamaba por detrás. Pero él solo tenía oídos para el ruido de las bolitas.

Rebotaban contra algo. Rebotaban.

Jason lanzó otra hacia delante.

Un segundo en el vacío… « plic, plic, plic»… y luego silencio.

No podía ser un precipicio. Las bolitas de arcilla rebotaban contra las piedras de la pared opuesta, que no parecía tan alejada de donde se encontraba él.

Lanzó otra bola un poco más lejos.

Un segundo en el vacío… «plic, plic, plic»… y luego silencio.

Hizo un tercer lanzamiento un poco más lejos.

«Plic.»

La bolita de arcilla se había quedado quieta. No había caído. Se había quedado quieta del otro lado.

Así que no era un precipicio, sino un agujero. Un agujero que dividía en dos el pasadizo, pero que no podía tener más anchura que… ¿cuánto? ¿Un metro?

Quizá menos.

Por un instante, a Jason le pareció ver una luz minúscula, un punto diminuto que relampagueó débilmente en el lugar donde había lanzado la bolita de arcilla.

Una señal de luz, que se encendió y apagó en un suspiro.

«¿Cómo es posible?», se preguntó.

—¡Jason, Jason! —gritó Julia por detrás de él.

A años luz de distancia.

Jason expulsó todo el aire que tenía en los pulmones. Cuando se vació del todo, dejó caer en el abismo la caja de bolitas de arcilla.

Y saltó.

Fue un salto en el vacío, en la nada, en el misterio. Con un solo movimiento.

Su cuerpo se elevó en la oscuridad del pasadizo mientras, por debajo de él, centenares de bolitas de tierra-luz se precipitaban hacia abajo, aspiradas por la oscuridad.

Jason saltó porque estaba seguro de que era lo que había que hacer: porque el camino que habían tomado era el único pasaje que llevaba hacia abajo, el que descendía. Saltó porque a veces, se dijo, hay que tener el valor de saltar y punto: sin más garantía que la de estar haciendo lo correcto.

Saltó porque tenía valor, determinación y cierta dosis de locura.

No se puede escoger ser un héroe. Se es un héroe y basta.

Pues bien: Jason terminó su salto de la manera más inesperada.

Cayendo sobre una roca sólida.

Había llegado al otro lado.

Y, finalmente, como si hubieran pasado cien años, respiró.

Rick y Julia habían oído los leves golpecitos de las bolitas de arcilla que caían al vacío, pero en la oscuridad no lograban comprender qué estaba sucediendo.

Se llevaron una sorpresa al oír de repente la risa de Jason.

—¡Chicos, es pequeño! —exclamó—. ¡Es el precipicio más pequeño que haya existido jamás!

—¿Jason?

—¡He saltado!¡Menuda tontería! ¡No tiene ni un metro de ancho! ¡Basta con acercarse al borde y alargar la pierna! ¿Rick? ¿Julia? ¿Me habéis oído?

—¿Qué quieres decir con eso de que has saltado? —chilló Julia.

—Antes de hacerlo he usado las bolitas de arcilla de la caja. Las he tirado al vacío para ver si rebotaban. Y he comprobado que rebotaban, incluso demasiado. Entonces he comprendido que el diámetro del agujero tenía que ser pequeño. De modo que…

—¡Eres un inconsciente!

Jason no le contestó. No era fácil explicar la sensación extraña que había tenido poco antes del salto. Y tampoco el motivo por el que había dejado caer en el vacío la caja con las bolitas de arcilla.

—Lo he hecho y hecho está. Perdonadme.

—¿Perdonarte? Yo… yo… en cuanto vuelva mamá, yo…

Rick trató de calmar a Julia, luego se acercó al borde de la abertura y preguntó a Jason si del otro lado soplaba tanto el aire como donde estaban ellos.

—No. Me parece que hay menos viento —respondió Jason.

—Perfecto.

Entonces, con suma cautela, Rick saltó junto a Jason y, tras un par de intentos, logró encender otra vez las velas, lo justo para que se pudieran mirar todos a la cara: Jason y Rick de una parte, Julia de la otra.

—¡Mira! —exclamó Jason, señalando lo que tenían a sus pies.

En efecto, el «abismo» era poco más ancho que una boca de alcantarilla: aún se veían las marcas de unas bisagras oxidadas.

—Aquí antes debía de haber un techo, o una trampilla —dijo Rick.

Jason tendió una mano a Julia. Esta no hizo caso de su ofrecimiento y saltó por encima del agujero sin mirar hacia abajo.

—Bueno, pues vamos —dijo haciendo que le dieran una vela y abriendo la marcha—. Sigamos adelante.

Llevaban andando en silencio un par de minutos cuando el corredor dio paso de pronto a una habitación.

—¡Alto! ¡Otra vez! —estalló Julia, harta.

Jason y Rick entraron junto a ella en una estancia desangelada, excavada en las rocas del acantilado y aparentemente sin más accesos. El suelo estaba formado por bloques cuadrados de piedra semejantes a los de la habitación circular de la que habían salido, pero mucho más pequeños. Una gruesa nervadura de piedra que recordaba la de una catedral gótica atravesaba el techo.

—Yo diría que aquí acaba todo… —dijo Julia mirando a su alrededor.

Como tenían ya por costumbre, los tres empezaron a inspeccionar las paredes, el suelo y el techo agitando las velas por doquier. Con gran cautela trataron de reparar hasta en los detalles más nimios: quien hubiera construido la habitación podía haberlo hecho para ponerlos una vez más a prueba.

—¡Ah, no! —dijo Julia, después del primer reconocimiento infructuoso del lugar—. Yo ahora ya no me vuelvo atrás.

Se quedó plantada en medio de la habitación y la miró con mayor detenimiento.

—No hay ninguna salida… —murmuró Rick acariciando las paredes ligeramente curvadas.

La piedra natural de las paredes se acercaba a la nervadura rocosa del techo como las tablas de una barca a la quilla. Cuanto más pensaba en ese parecido, más tenía la impresión de hallarse en la panza de una barca que hubiera volcado. Se acordó de cuando se escondía debajo de las barcas tendidas a secar sobre la playa.

—Tengo la sensación de estar en el interior de una barca volcada —dijo mostrando a los gemelos la «quilla» del techo y la forma de huso que tenía la habitación.

—¿Y cómo se sale de una barca volcada? —le preguntó Jason.

—De dos maneras… —dijo Rick sonriendo—, o corriendo, cuando el propietario se da cuenta, o bien… se levanta el borde y se escurre uno por debajo…

Los chicos se acercaron a los extremos de la habitación, recorriendo con los dedos centímetro a centímetro la intersección entre el suelo y la pared.

—Piedra… piedra… piedra…

Julia, en el centro de la habitación, levantó su vela.

—Uno… dos… tres… cuatro… —empezó a contar.

Jason y Rick acabaron de dar la vuelta a la estancia desconsolados.

—Aquí solo hay piedra: sólida e impenetrable.

«¡Crac!», hizo algo pesado deslizándose por la roca.

Jason y Rick dieron media vuelta para observar a Julia, acuclillada en el centro de la habitación.

A sus pies, otra cosa volvió a hacer «crac».

Y luego «tu-tu-tu-crac».

—Creo que he encontrado algo… —dijo ella, muy satisfecha.

Capítulo (18)

— ARRIBA —

Nestor se acercó a la ventana de la torrecilla y la cerró con un golpe seco.

—Tarde o temprano tendré que arreglarte… —murmuró, mirando a su alrededor.

En cuanto la hubo cerrado, la corriente de aire gélido que subía por la escalera se interrumpió bruscamente.

Nestor miró fijamente la flota de maquetas dispuestas junto a la mesa y observó complacido que el diario que había bajo el *Ojo de Nefertiti* había desaparecido.

Sonrió y salió de la habitación cerrando la puerta vidriera.

Pese a la oscuridad reinante en la casa, vio en el espejo el reflejo de un hombre cuyos rasgos estaban ocultos en la sombra. Hubo un largo momento de silencio.

—Los chicos han bajado… —susurró Nestor.

La tormenta seguía rugiendo en el exterior.

—Era lo que esperaba —dijo el hombre.

En efecto, había esperado que sucediera. Pero también había aprendido que esperar y tener éxito son cosas muy distintas.

—¿Habrá sido prudente?

Nestor miró a su alrededor, incómodo, e hizo ademán de alejarse.

Resistió la tentación de bajar corriendo escalera abajo, miró delante de él y dijo:

—Han sido valientes. Valientes y afortunados, quizá, pero sobre todo valientes. Merecían que se les diera la posibilidad de intentarlo.

—No disponían de ninguna explicación, ningún consejo. Se podían haber hecho daño. Aún pueden hacérselo. A lo mejor no consiguen bajar. O a lo mejor sí y logran llegar hasta la puerta. ¿Y entonces?

—Entonces… no sé.

—La abrirán. Será un desastre.

—Quizá no. Están en racha. Les he dejado… —Nestor se corrigió—. He dejado a Jason una indicación sobre el modo de seguir adelante.

Hubo otro silencio prolongado.

—¿Es posible que un niño de once años se deje guiar por una simple indicación?

—Quizá sí. Los he escogido cuidadosamente.

Tras dudar un segundo, por fin el hombre negó con la cabeza.

—En realidad, los ha escogido el azar.

Nestor no respondió. Descendió velozmente los escalones. Entró en la habitación de piedra y miró el armario desplazado. Observó que la puerta de las cuatro llaves estaba cerrada.

Los chicos se habían llevado consigo las cuatro llaves y solo habían dejado unas hojas arrugadas sobre el suelo.

Nestor hizo una mueca de sufrimiento y luego fue al pórtico de entrada a la casa, pasó suavemente una mano por el pedestal de la estatua de la pescadora y recogió del suelo su impermeable.

Abrió la puerta de par en par y salió a la lluvia.

Las palabras que había oído poco antes le resonaban aún en la cabeza: sabía perfectamente que era el azar el que había escogido a los niños. Pero no había demasiadas posibilidades. O ellos o la señorita Newton.

—El azar, a veces, es la mejor solución —murmuró el viejo jardinero mientras salía de Villa Argo.

Capítulo (19)
– ABAJO –

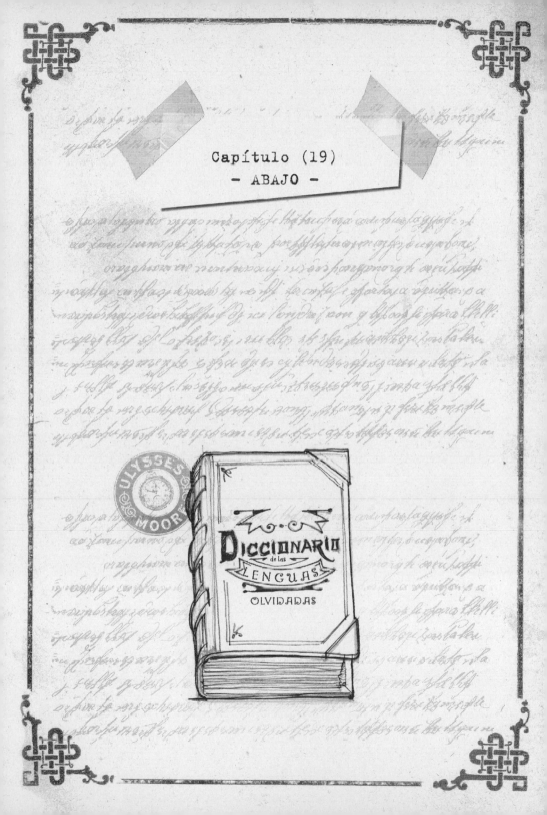

Exactamente en el centro del suelo de la habitación había cuatro grandes piedras adosadas. Julia había descubierto que, con una ligera presión, cada una de las piedras podía girar noventa grados, produciendo el ruido de un mecanismo que entra en funcionamiento.

—Estoy segura de que la solución está en estas cuatro piedras —dijo Julia con una sonrisa—. ¿Oís el ruido que hacen cuando las hago girar?

«Crac. Crac.»

—Creo que tienes razón —dijo Rick—. Pero ¿hacia dónde hay que hacerlas girar? Y, además, ¿para qué?

—Es imposible: ¡las combinaciones son infinitas! —dijo Jason con voz plañidera.

Julia se puso a hacer girar las cuatro piedras con gran decisión.

—¿Sabes qué estás haciendo, Julia? —le preguntó su hermano.

—En absoluto —contestó ella, sin dejar de mover las piedras—. Pero no tengo la más mínima intención de pasarme horas devanándome los sesos sobre el modo en que hay que hacer girar estas cuatro cosas para…

De repente se oyó un estruendo subterráneo.

—¡Julia, ten cuidado! —exclamó Jason.

Ella esperó a que el estruendo se hubiera amortiguado y luego volvió a empujar y estirar las cuatro piedras que ocupaban el centro del suelo.

—«Y abajo conduce, de cuatro, una», ¿no? —se dijo en voz alta—. ¡Vamos, ánimo! ¡Girad, piedras!

Jason observó a su hermana ligeramente perplejo.

—¿Dices que una de estas nos llevará abajo?

«Crac. Crac. Crac.»

—Seguro… —dijo Julia.

El suelo de la estancia vibró y se oyó un ruido metálico, como el de un peso que hubiera comenzado a deslizarse por antiguas ruedas dentadas.

—¡Así! —dijo Julia poniéndose de pie.

La última piedra de la derecha se separó de repente con un golpe seco.

—¡Claro, una trampilla! —exclamó Jason mirando a su hermana sinceramente admirado.

—Pero ¿cómo diablos lo has conseguido? —le preguntó Rick por su parte, sinceramente estupefacto.

Las velas habían empezado a consumirse de manera inquietante y, para no correr el riesgo de quedarse a oscuras, los chicos decidieron dejar encendida solo una. Con ella en mano, Jason, Julia y Rick trataron de vislumbrar qué se escondía detrás de la trampilla que había aparecido por debajo de la cuarta piedra.

—¿Qué hay? ¿Una escalera?

Rick se asomó para tantear en la oscuridad, mientras Jason lo alumbraba con el cabo de su vela.

—No. Está brillante, como… parece que es… ¡un tobogán! —exclamó el chico, vagamente preocupado.

Los tres se sentaron sobre el suelo, indecisos sobre qué hacer a continuación. La luz se hacía cada vez más mortecina, y con la oscuridad cada vez más espesa aumentaba su inquietud. Miraban el hueco del tobogán, que era lo bastante grande para que cualquiera de ellos se deslizara por él para descubrir adónde conducía. Pero ninguno de ellos tenía la intención de dejarse caer al vacío… ¿hasta llegar adónde?

—Si hubiéramos cogido la cuerda… —se lamentó por enésima vez Rick.

—Jason, ¡he tenido una idea! —Julia recuperó el diccionario a ciegas y lo sopesó con la mirada—. ¡Venid a escuchar! —dijo. Luego se agachó junto a la trampilla y dejó caer el libro por el tobogán.

El diccionario desapareció inmediatamente en las tinieblas.

Rick miró desconcertado a Julia.

Esta, por su parte, tendía la oreja para escuchar. Oyó cómo el diccionario se deslizaba, se deslizaba y se deslizaba, hasta que no oyó nada más.

—¿Se puede saber qué esperabas conseguir, aparte de perder para siempre la única cosa útil que todavía conservábamos? —la regañó Rick.

Julia se rascó la cabeza, pensativa.

—No sé; esperaba oír algo. Por ejemplo, si caía en el agua.

—¿Y si hubiera caído en el agua? —La voz de Rick fue

subiendo nerviosamente de volumen hasta llegar al punto interrogativo final.

—Bueno, nos habríamos enterado de que el tobogán terminaba en el agua.

—Y nos habríamos encontrado con un diccionario inutilizable que… —Rick señaló la abertura del tobogán y luego se encogió nerviosamente de hombros.

—De todas formas ya ha desaparecido —dijo Jason.

—Ha desaparecido, ¡sí! —remachó Rick—. Pero ¿de qué maldito rincón del planeta salís exactamente? Tú, si te encuentras en la oscuridad con un agujero en el suelo, tratas de salvarlo de un salto. Mientras tu hermana, en cuanto descubre un pasaje secreto, tira dentro un diccionario para ver qué efecto tiene… Pero ¿cómo narices se os ocurren esas cosas? Mi padre decía siempre que no hay que fiarse de los de ciudad, pero… ¡caray! Sois tan rápidos para inventaros esas ideas absurdas que no se tiene ni siquiera tiempo de decir «¡No! ¡Esperad!», o algo parecido.

Y se alejó sin dejar de refunfuñar.

Jason y Julia intercambiaron una larga mirada cómplice.

—Creo que se ha enfadado por tu culpa… —susurró Jason a su hermana.

—¡Ah, ah! —replicó ella, con una sonrisa tensa.

En realidad, aunque le dolía admitirlo, sabía que Rick tenía toda la razón del mundo. Julia se había pasado el día regañando a su hermano, pero ahora probablemente había sido ella quien había hecho la cosa más insensata posible.

Sobre todo después de haber conseguido abrir sola la trampilla del suelo.

—Ya me ocupo yo... —dijo Jason dirigiéndose a parlamentar con el chico de Kilmore Cove, que seguía mascullando entre dientes.

La sombra de los dos chicos, proyectada por la única vela encendida contra las paredes de la habitación, parecía la de dos gigantes.

Julia miró el tobogán. Y luego a Rick, que se sacaba de encima las manos de Jason.

Dejó colgar los pies al borde del agujero. Con las suelas de los zapatos tocó la piedra reluciente del tobogán.

—Si el diccionario lo ha conseguido... —murmuró para infundirse ánimo—, también lo puedo conseguir yo.

Entonces se dio un ligero empujón y desapareció hasta la cintura por la abertura del suelo.

—¡Chicos! —exclamó, un segundo antes de dejarse caer—. ¡Venid a escuchar!

Jason y Rick se dieron la vuelta.

—¡Julia, no! —gritó Jason.

Rick se quedó petrificado.

Julia dedicó una sonrisa especial a su amigo, como diciéndole: «Perdona, Rick, me he equivocado, pero ahora lo arreglo todo».

Y se dejó caer.

Jason y Rick acudieron junto a la trampilla, con la boca abierta.

—¡Ooooh, uuuuh! —gritó Julia, desde algún lugar lejano. Y añadió : ¡Uaaauuh! Y, un segundo después : ¡Aaaaah, oooooh, uuuuh!

Y luego nada más.

—¡Julia! —gritó Jason cuando los gritos de su hermana se interrumpieron—. ¡JULIA! ¡JULIA!

Había algo surrealista en gritar el nombre de su hermana por un agujero en el suelo.

Rick lo apartó de la abertura, diciéndole que, si no se estaba callado, no podría oír la respuesta de su hermana, si es que la había.

Y, de hecho, en cuanto Jason dejó de gritar, oyeron la voz lejanísima de Julia, que decía:

—¡Es increíble! ¡Fantástico! ¡Parece imposible! No es…

—Yo diría que está bien —observó Rick.

—Y que el tobogán no acaba en el agua —añadió Jason, riendo.

Y luego, demasiado impacientes para seguir hablando, se dejaron caer también ellos por la abertura.

El tobogán se hundía vertiginosamente en las tinieblas. Mientras resbalaba con la espalda contra la piedra, Jason tuvo la sensación de atravesar espacios abiertos y otros muy cerrados, como galerías excavadas por insectos. Se deslizaba

a una velocidad endiablada, rebotando a veces sobre pequeñas estrías de la roca. Bajaba patinando por la piedra sin ro-
zarla, con la sensación de flotar sobre una superficie húmeda
y viscosa.

Al cabo de unos instantes de terror en estado puro, el
chico comenzó a sentirse embriagado y siguió el ejemplo
de Julia un poco antes.

—¡Uauuuuh! —gritó al tomar una curva. Y en la siguiente añadió—: ¡Aaaaah, ooooh!

Por detrás o por encima de él, oía la voz de Rick.

Cuanto más bajaba, menos pronunciada se hacía la pen-
diente del tobogán, aunque Jason seguía deslizándose a la
velocidad del rayo. Al final fue descargado sobre una playa
arenosa, donde aterrizó con relativa suavidad.

Rodó sobre sí mismo y abrió los ojos de par en par: solo
en ese momento se dio cuenta de que los había tenido cerrados todo el rato.

La primera cosa que vio junto a él fue el *Diccionario de las
lenguas olvidadas*.

Y luego vio la gruta y a su hermana.

Julia estaba de pie a pocos pasos de donde se hallaba él y
miraba a su alrededor, fascinada.

Las olas marinas lamían lentamente una playa arenosa
encajonada entre gigantescas paredes de piedra. Por encima
de ellos danzaban centenares de minúsculas luces cente-
lleantes, mientras otras se iban encendiendo una tras otra a
lo largo de las paredes internas de la gruta.

Jason se puso de pie.

—La tierra-luz… —murmuró, incrédulo, observando esos puntos de luz danzante.

—No —dijo Julia delante de él. En la mano llevaba una bolita de arcilla, que rompió delicadamente. En su interior había el cuerpecillo trémulo de un insecto—. Simples luciérnagas, Jason.

—Luciérnagas… —murmuró el chico.

—¡Oooooh! —exclamó una voz a sus espaldas.

Jason fue alcanzado por un segundo cohete que caía a una velocidad vertiginosa y cuando se quiso dar cuenta estaba boca abajo sobre la arena.

Había llegado Rick.

Capítulo (20)

- LA GRUTA -

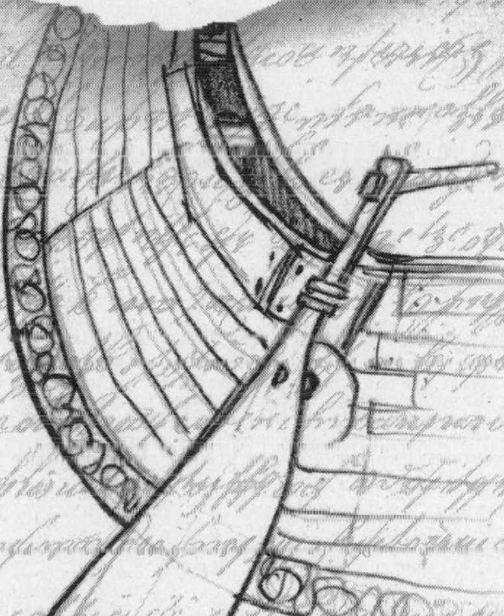

Jason, Julia y Rick se detuvieron al borde de la playa y comenzaron a observar detenidamente la gruta que los rodeaba. A su alrededor revoloteaban centenares de luciérnagas, como otros tantos puntos de luz que se acabaran de abrir y despertar. Difundían una luminosidad mortecina en la gruta, similar a la luz que precede al alba los días de verano, pero el techo estaba oscuro y muy alejado. Las paredes caían a plomo sobre el mar. El agua marina formaba una especie de espejo líquido removido suavemente por las corrientes que de vez en cuando empujaban pequeñas olas a besar la orilla. Desde más allá de las paredes de la gruta les llegaba el ruido impetuoso de otras olas, donde el mar desencadenado por la tormenta batía con energía contra los escollos.

La playa sobre la que se encontraban los tres chicos bastaba para acoger a una decena de personas y se prolongaba hasta un minúsculo puente de madera al que estaba atracada una barca.

Jason, Julia y Rick la miraban y remiraban sin cesar, embargados por la emoción. Estaban fascinados y al mismo tiempo atemorizados.

Era una embarcación de casco macizo, con la proa y la popa elevadas, orgullosa y esbelta. A ambos lados del casco, había sendas hileras de remos, como en espera de una orden. La hermosa quilla subía y bajaba siguiendo la resaca del mar, haciendo tintinear levemente una cadena que salía de la popa y desaparecía en el agua.

—Nunca he visto nada parecido... —murmuró Rick, después de un silencio que le pareció infinito. No tenía ojos más que para aquella embarcación.

—¿Será del viejo Ulysses Moore? —aventuró Julia.

—Apuesto a que sí, hermanita.

—A mí me parece una nave vikinga —dijo Rick.

—Pues yo no veo ninguna salida —murmuró Jason siguiendo el vuelo luminoso de los insectos.

La gruta no parecía tener más salidas al exterior: contenía la nave y el vasto espejo de agua marina aprisionados por las paredes de piedra, como si de una gigantesca piscina cubierta se tratara. Cada vez que del techo de piedra se filtraban y caían gotitas de lluvia, sobre el agua se formaban minúsculos círculos concéntricos.

—Me pregunto cómo ha podido entrar aquí una nave vikinga... ¿Dónde estamos, según vosotros? ¿En la gruta de los antiguos druidas?

Nadie respondió.

—Creo que es posible que construyeran la nave aquí dentro —aventuró Rick—. Quizá las mismas personas que construyeron el pasadizo.

La explicación de Rick, como siempre, parecía la más razonable.

—¿Cuánto medirá?

—Por lo menos veinte metros —respondió Rick, haciendo gala de buenos reflejos.

—Quiero decir la gruta.

El chico de Kilmore Cove se encogió de hombros. Aquella caverna era enorme y se le ocurrió que quizá se extendiera por debajo de todo el acantilado de Salton Cliff.

—¿En qué lugar hemos acabado, Jason? —murmuró Julia después de otro largo silencio.

—Así, a bote pronto, diría que estamos en la piscina privada de Villa Argo —le respondió su hermano—. Quizá tenga un acceso un poco complicado, pero es sumamente refinada: iluminación natural con luciérnagas, barca de paseo vikinga, playa privada… Un poco umbría, sin duda, pero…

Julia negó con la cabeza.

—Parece que este lugar no se usa desde hace mucho.

—¿Por qué?

—¿Has visto en qué estado se encuentra el pasadizo? Piedras que apartar, el agujero en el corredor y, además, ¿no ves todas estas luciérnagas?

—¿Y qué?

—Pues, ¿te parece posible que desde Kilmore Cove nadie haya visto jamás filtrarse un poco de luz por una grieta? ¿Que no se haya dado cuenta nadie de que el acantilado se iluminaba de noche?

—A veces sí se daban cuenta —se inmiscuyó Rick, mirándolos—. Solo que no podían imaginar que hubiera todo esto.

—Y entonces, ¿qué imaginaban?

—Por ejemplo, que fueran reflejos de la luz de las casas, o del faro, sobre las piedras blancas de los farallones. O algo más amenazador: las luces de Salton Cliff. Reflejos, sombras, lugares que aparecen y desaparecen: en todas las ciudades marítimas se cuentan infinidad de historias de este estilo, al igual que en todos los cuentos de los marineros se habla de luces misteriosas por encima y por debajo del mar.

—Apuesto a que tu padre...

Rick lo interrumpió bruscamente:

—El caso es que mi padre no me habló nunca de una nave como esta, por lo que creo que no ha salido jamás de aquí. De lo contrario alguien la habría visto. Y se contaría una historia sobre ella. El verdadero misterio de la gruta es esta embarcación, y no las luces.

Los chicos subieron al embarcadero. Bajo sus pies, las viejas traviesas emitieron crujidos amenazantes y la silueta de la nave comenzó a oscilar con gallardía a su izquierda.

Jason observó los huecos abiertos en los flancos sobre los que se apoyaban los remos, que apuntaban al cielo, de pie como en un desfile de soldaditos de madera. Julia no apartaba los ojos del palo mayor, que era tan largo como cuatro remos y sólido como un árbol centenario. Ondeando con la nave, parecía un gigantesco dedo negro apuntando hacia arriba.

Rick alcanzó la proa de madera labrada, que dibujaba una curva imponente en forma de coma.

—Es perfecta, ¿no os parece? —dijo mientras acariciaba la madera. Le pareció cálida y reconfortante. Y, como los gemelos no decían esta boca es mía, prosiguió—: Quiero decir que, si tuviera que dibujar una nave perfecta, la haría exac-

tamente así. Con esta forma, con el palo mayor y los remos, como los barcos antiguos...

—¿Tendrá un nombre esta barca? —le preguntó Jason.

—Es lo que estaba tratando de averiguar...

Sobre la quilla se podía leer:

METI⊰

—«Meti...» —dijo Rick.

—¿Cómo?

—«Metie.» Esta nave se llama *Metie*. Es un nombre realmente feo —comentó Jason.

—La última letra no es exactamente una «e» —observó Rick—. A lo mejor no está escrito en nuestra lengua.

—¡Ya lo creo!

Aunque, bien pensado, no estaba seguro de haber oído antes la palabra «Metie».

—Recojamos nuestro inseparable diccionario y comprobemos qué dice —intervino Julia—. Está en perfecto estado de salud, a pesar de la caída.

Y al decirlo hizo una mueca dirigida exclusivamente a Rick.

—¿Subimos a bordo? —preguntó Jason.

El costado de la nave estaba a menos de un metro y sobre el embarcadero había una tabla que podía utilizarse como pasarela.

A Jason se le iluminó la mirada.

Rick cogió la tabla y, con la ayuda de los gemelos, la acercó al flanco de la barca. A continuación, de una manera deliberadamente cómica, se inclinó para dejar subir a Jason el primero.

—Capitán Jason, usted primero…

Jason le puso una mano sobre el hombro y contestó, con el mismo tono pomposo:

—Gracias, capitán Rick… —Se volvió hacia su hermana, que mientras tanto había vuelto a recoger el diccionario, y añadió—: Capitana Julia, ¡la espero a bordo de nuestra nueva nave!

Luego dio dos pasos por la pasarela rápidamente y saltó a bordo.

La nave estaba hecha por entero de madera. Tenía una única cubierta, que ocultaba una sola bodega en la panza. A ambos lados del casco había una hilera de diez bancos de madera, a cada uno de los cuales le correspondían dos remos, que estaban instalados verticalmente. Cada remo iba encadenado a su hueco, también llamado «chumacera».

—Así no se corre el riesgo de perderlos en el mar… —explicó Rick.

—Bien dicho, capitán Rick… —comentó Jason, que andaba junto a él.

—¡*Metis*! —exclamó Julia, hojeando las páginas del *Diccionario de las lenguas olvidadas*—. Esta nave se llama *Metis*. El nombre está escrito en griego antiguo.

—Ah, claro… —gruñó Jason—. Pues sí, *Metis* es mucho mejor que *Metie*.

—¿Significa algo? —le preguntó Rick.

—Mmm… sí. *Metis* significa «sabiduría». Era el nombre de la primera esposa de Zeus, hija de Océano y Tetis. Una mujer inteligente y capaz… ¡como todas las mujeres, por otra parte!

Julia cerró el diccionario.

Luego miró en la bodega, aunque quedó decepcionada.

—¡Está vacía! Aquí dentro no hay nada…

En lo más profundo de su corazón no había abandonado la idea de descubrir un gran tesoro apilado en los recovecos del acantilado.

Pero la nave no era más que una cáscara vacía.

El palo mayor, que se erguía en el centro de la cubierta, carecía de velas: solo tenía cuatro sogas robustas, cubiertas de salitre, que salían de su extremo superior e iban atadas a los flancos, a proa y a popa.

—Ninguna vela… —murmuró Rick—. Esta nave no ha salido nunca al mar… O no ha salido desde hace mucho tiempo. Pero el casco parece en buen estado: descuidado, pero en buen estado. No creo haber visto teredos o…

—¿Tere… qué?

—Teredos: son moluscos que excavan sus galerías en la madera sumergida y la destruyen poco a poco.

Jason alargó el labio inferior, como diciendo: «¡Caramba!».

Los dos pequeños capitanes fueron andando casi hasta la popa. Allí, a ambos lados del casco, había dos remos de pie más largos y planos que los demás, cuyos alojamientos estaban casi a ras del pasamano.

—Estos son los timones —explicó Rick—. Se instalan a ambos lados de la nave y se maniobran con estos de aquí.

Enseñó a Jason que cada timón tenía una madera transversal, formando una «l». Gracias a esa empuñadura, se podían maniobrar cómodamente de pie sobre la cubierta.

—¿Qué es eso? —le preguntó Jason señalando la minúscula casita de madera que había a popa, casi pegada a los timones.

—La cabina del capitán… —murmuró este acercándose a la entrada.

En el umbral de la cabina había una vieja cortina de yute carcomida por la humedad y el tiempo. Rick la apartó con un escalofrío y miró al interior. Tuvo que usar el mechero para proyectar un poco de luz.

La cabina del capitán estaba absolutamente vacía. Lo que quedaba de las viejas telas colgaba a jirones del techo, confiriendo al cubículo un aire decadente.

A un lado, en el suelo, se había instalado una cama rudimentaria, encastrada entre dos viejos baúles. Enfrente había una tabla sujeta con tiras a la pared, que debía de servir de mesa. Sobre esta había un candelabro con tres brazos y tres cabos de vela.

Junto al candelabro había un libro cerrado.

Rick se acercó a la mesa, encendió los cabos de vela y, con la mano temblorosa, tocó el libro.

—Podría ser el cuaderno de bitácora del último capitán... —susurró Julia detrás de ellos.

Rick levantó la cubierta de piel negra y lo abrió.

Fuera, en mar abierto, un gigantesco rayo tiñó el horizonte de blanco.

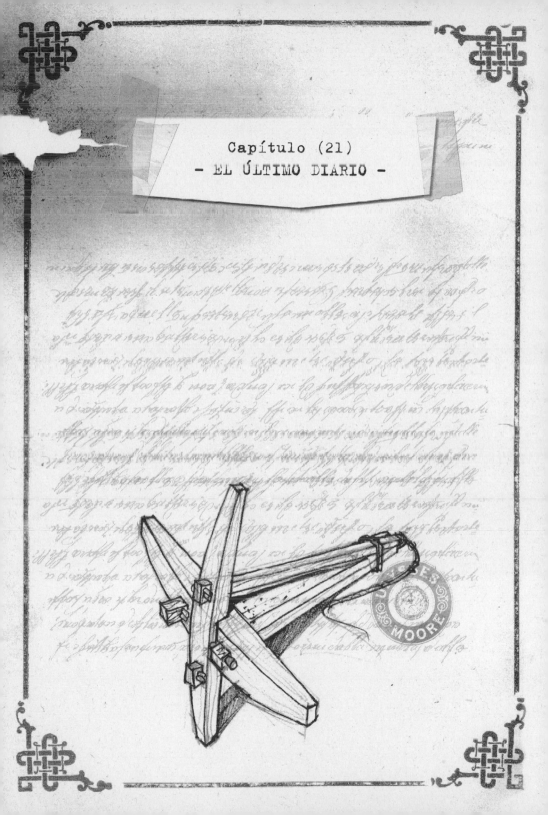

Capítulo (21)
- EL ÚLTIMO DIARIO -

En la primera página alguien había escrito con una caligrafía elegante lo siguiente:

17 de septiembre del último año

Este será probablemente el último viaje de la *Metis*, nuestra sabia viajera. Después de haberse plegado a todos nuestros deseos y habernos conducido siempre a donde hemos querido, ahora ya no tiene más motivos para zarpar. Las manos que guiaban su timón son demasiado viejas y frágiles. Las de la persona que me acompañaba ya no existen. Al final, ha sido el tiempo el que ha puesto fin a nuestra aventura. Ahora que el ancla está inmóvil en el fondo de este mar secreto, solo me quedan los recuerdos de cuanto hemos visto y vivido, cuanto hemos atravesado y conocido. Y me quedan los sueños de los puertos que aún no he visitado. Los sueños y recuerdos, a fin de cuentas, están hechos de la misma masa, que debemos cocer a fuego lento para transformar en un pan fragante, que nos alimente en la vejez.

Porque he envejecido. Y ha envejecido nuestra nave, pese a que puede salvar todos los obstáculos del tiempo, siguiendo la corriente del deseo de sus capitanes. Ahora, querida barca, detente.

¡Tú, que fuiste tallada en la madera de aquel roble sagrado, te lo ruego, deja en reposo tus remos!

Ya no tienes capitanes. Y no tienes a una Señora de los Ladrones que desafiar entre vendavales y tormentas.

Que la noche te sea dulce, amada *Metis*, porque a ella te entrego.

Rick pasó un dedo sobre la tinta, dio la vuelta a la página y vio que el resto del diario estaba vacío.

—¿Qué os parece? —preguntó.

—Yo la he reconocido —dijo Jason.

Tomó el diario que había encontrado en la habitación de la torrecilla y lo puso junto al nuevo. Lo abrió por una página al azar y cotejó las dos grafías. Los diarios habían sido escritos del mismo puño y letra.

—Este es el último diario del viejo Ulysses... su mensaje de despedida.

—Habla de aventuras, de viajes y puertos lejanos... —dijo Julia—. Debe de haber hecho grandes cosas con esta nave, la *Metis*.

—O por lo menos las ha imaginado... —le corrigió Rick—. No creo que con esta nave pueda haber navegado en mar abierto.

Jason hojeó el diario egipcio murmurando:

—Aunque aquí habla de Egipto como si hubiera estado...

—¡Imposible con esta nave de remos! —exclamó Rick—. No tiene motor, caldera ni armazón para poder navegar a vela.

—¡Pero puede navegar con remos!

—¿Te imaginas a un tipo capaz de encontrar a veinte personas dispuestas a remar de Inglaterra a Egipto? Yo no. Sin

contar con que, aunque las encontrara, ¡habríamos oído hablar del asunto en todas las cadenas de televisión!

Rick estaba muy dolido. Mientras leía las líneas del último diario, no había podido evitar pensar que su padre no había envejecido navegando. Ni se había despedido de su barca. El mar se los había tragado un día, a él y a la barca, y había decidido no devolverlos.

Pero, como eran palabras muy difíciles de pronunciar, se limitó a excusarse ante Jason y se puso a pasear nerviosamente por la cabina.

—¿Qué hacemos? —preguntó Julia al cabo de un rato.

—Nos vamos —dijo Rick.

Jason y Julia lo observaban desde la puerta de la cabina del capitán.

Rick sonrió, miró a su alrededor y comentó:

—Según vosotros, ¿por dónde se sale de esta gruta?

Desde la cubierta se veía mejor el interior de la caverna. La playa a la que estaba atracada la nave, aparte del tobogán, no presentaba ninguna salida visible. El agua de ese mar interior ocupaba el resto de la cavidad, con la excepción de una minúscula playa que se encontraba del lado opuesto de la gruta. Esa playita era idéntica a aquella a la que habían llegado: había un diminuto embarcadero de madera, que parecía una réplica del muelle al que habían subido antes. Pero, en lugar de tobogán, se entreveía una escalinata estrecha de escalones negros, que conducía a una puerta coronada por un arquitrabe de piedra macizo, semejante punto por punto al que habían visto en la habitación circular.

—El instinto me dice que tenemos que llegar a aquella escalera. Y atravesar aquella puerta —aventuró Julia.

—Pero ¿cómo?

Por mucho que investigaran, no parecía haber ninguna vía de comunicación entre las dos playitas.

Aparte, naturalmente, del mar.

Rick se apartó del pasamano y se puso a contemplar el agua, oscura y densa como el petróleo. Valoró la distancia que les separaba de la otra playa y a continuación sacudió la cabeza.

—Hay un trecho considerable —dijo—. Y eso suponiendo que no haya remolinos.

—¿Quieres llegar a la otra playa a nado? —le preguntó Jason, estupefacto.

—¿Tienes una idea más brillante?

—Podríamos buscar una senda a lo largo de las paredes de la gruta… ¡Espero que la haya!

Julia daba vueltas por la cubierta, pensativa.

—Podríamos usar la nave —dijo al cabo de un rato—. ¿Os parece que sería difícil?

—¿Cómo? —estalló Rick—. ¡Más que difícil! ¿Sabes lo que hace falta para que se mueva esta nave? Y, además, ¿quién se pone a los remos? ¿Y al timón?

—A lo mejor bastaría con levar el ancla…

El rostro de Rick enrojeció súbitamente:

—¡No volváis a empezar con vuestras fantasías de niños de ciudad! Una nave no es un juguete. Hacen falta conocimientos, habilidad, fuerza y… suerte para poder gobernarla. Y nosotros no tenemos ninguna de estas cualidades.

—Te infravaloras, Rick —dijo Jason—. Y te equivocas. Yo creo que las tenemos todas. Tú conoces el mar. Y sabes hacer muchas más cosas. ¿Cuántas horas llevamos caminando en la oscuridad, pertrechados tan solo con la voluntad de ver qué hay después? Lo único que queríamos era llegar hasta aquí. Y lo hemos conseguido. Nos hemos devanado los sesos para resolver una serie continua de enigmas: escrituras imposibles, frases ocultas, cerraduras trabadas, piedras móviles… Yo lo llamaría habilidad. Ah, vale, tú dices que también hace falta fuerza. De acuerdo: de uno en uno, ninguno de nosotros somos fuertes. No somos más que niños. Pero los tres juntos lo podemos conseguir. Basta con que nos digas qué hacer y de qué manera y lo intentaremos. Y además… yo tengo suerte: ¡estoy vivo a pesar de haber estado a punto de matarme hoy por lo menos dos veces! Y Julia tiene tanta suerte como yo, si no más.

Julia lo miró con un gesto de curiosidad.

Jason prosiguió:

—Tenemos suerte porque hace solo una semana estábamos en nuestro apartamento jugando con el ordenador, como millones de niños de Londres. Y, en cambio, ahora estamos aquí, en una gruta increíble, sobre una nave que parece mágica, en compañía de un amigo que es… que es mágico como todo lo que nos rodea. Y eso no puede ser ni más ni menos que suerte. Una suerte increíble, que no podemos permitirnos desaprovechar.

—¡Bien dicho! —exclamó Julia, por una vez perfectamente de acuerdo con su hermano.

Jason se acercó a Rick y añadió:

—Mira aquella playita, Rick. No está tan lejos. Yo preferiría tratar de alcanzarla sobre un pedazo de madera que nadar por el agua tenebrosa. Si al final acabamos en el agua, ya tendremos tiempo de nadar. Pero hasta ese momento, yo creo… creo…

—… que no hemos llegado aquí por casualidad —terminó Julia en su lugar.

—Sí, creo que no hemos llegado aquí por casualidad. ¿No oís una vocecilla que dice: «¡La habéis encontrado! ¡Levad el ancla y convertíos en capitanes de esta nave! ¡Capitanes de la *Metis* por un día!»? ¡Ánimo, Rick! Dinos la verdad. Dinos si podemos tratar de desplazar esta nave desde aquí… hasta allá.

Jason indicó primero la playa sobre la que habían aterrizado y luego aquella que estaba del otro lado del brazo de mar. El dedo se le quedó suspendido un rato, temblando por la intensidad con la que apuntaba hacia delante.

Cuando Jason bajó el brazo, vio que a Rick le brillaban los ojos.

—Bueno… ¿qué me respondes, capitán Rick? —le apremió Jason, con la voz ligeramente ronca, como un tipo duro del cine—. ¿Hacemos que esta cafetera ande?

Rick apretó los puños. Estaba enfadado, conmovido, incrédulo y un poco enloquecido.

Después de librar un combate interno, asintió y respondió:

—De acuerdo, ¡movámosla, capitán Jason! Probemos…

Julia le puso una mano en la espalda.

—Capitana Julia —dijo Rick, sin darse la vuelta—, le aseguro que saldremos de esta gruta y no volveremos a ella hasta que hayamos descubierto todos sus secretos. —Dio un salto y gritó—: ¡Adelante, colegas! ¡Nos vamos!

Los tres se pusieron en movimiento al mismo tiempo, como si ya supieran perfectamente lo que iban a hacer.

Rick dio su primera orden: meter en la cabina del capitán todo lo que podía ser útil.

Jason se llevó una mano a la frente, cuadrándose y haciendo un saludo militar.

—¡A sus órdenes, capitán Rick!

Capítulo (22)
- HACIA LOS PUERTOS DE
LOS SUEÑOS -

Rick trató de encaramarse al palo mayor, ayudándose de las minúsculas muescas que tenía en la superficie. Quería desenganchar del extremo superior del palo al menos una de las cuatro cuerdas que salían de él para utilizarla de alguna manera.

Se metió en el bolsillo el cuchillo que había cogido en la cocina de Villa Argo, apretó los dientes y comenzó a escalar lentamente. Cuando llegó más o menos a la mitad, arriesgándose en cada centímetro a caer sobre la cubierta, Julia salió riendo de la cabina del capitán.

—¡Mirad esto! —exclamó—. Los baúles están llenos de cuerdas.

Rick resopló, preguntándose por qué no se le había ocurrido antes y, con mil precauciones, volvió a bajar.

—¿Qué hacemos con todas estas cuerdas? —le preguntaron los gemelos.

Rick las sopesó: la mayoría eran cabos para velas, unos carcomidos, otros todavía en buen estado. Los dispuso sobre la cubierta con ademanes misteriosos y luego condujo a los gemelos al cabrestante, el instrumento que servía para levar el ancla. Parecía que aún funcionaba: estaba compuesto por un tambor de madera que había que accionar mediante una manivela en forma de «l» para sacar la cadena del agua.

Pero la manivela se negaba a girar. Probablemente estaba oxidada y se había quedado bloqueada después de tanto tiempo. Los tres chicos se pusieron uno al lado del otro y comenzaron a empujar y estirar de manera coordinada.

—¡Vamos!

—¡Vamos!

—¡Vamos!

Cuando estaban a punto de renunciar, la manivela soltó un chirrido y se desbloqueó. Con grandes esfuerzos, los chicos le hicieron dar un cuarto de vuelta, luego media vuelta y por fin una vuelta completa.

Una porción de cadena empapada de agua se enrolló en torno al tambor.

Lentamente, jadeando, resoplando, gimiendo y resbalándose, los niños lograron sacar del fondo un ancla que pesaba por lo menos lo mismo que los tres juntos.

Mientras Rick y Jason maniobraban el cabrestante, Julia permanecía asomada al flanco de la nave para evitar que el ancla, al emerger del agua, dañase el casco.

—¡La veo! —exclamó al fin—. ¡La hemos levantado!

En ese preciso momento se pusieron en marcha.

La nave, liberada, comenzó a deslizarse lentamente por la superficie de ese mar interior.

Rick abandonó su puesto en el cabrestante y comenzó a dar órdenes a voces:

—¡Jason, a los timones! ¡Julia, baja un par de remos, uno a estribor y otro a babor!

Julia se quedó inmóvil mirándolo, indecisa sobre el modo de acatar la orden.

—¡Baja los remos! ¡Uno a la derecha y otro a la izquierda! —repitió Rick.

Jason llegó hasta uno de los dos remos-timón, lo aferró por la empuñadura y miró a su amigo pelirrojo.

—¡Bájalo! —gritó Rick.

Jason lo bajó de golpe. El remo plano se hundió con violencia en el agua y Jason estuvo a punto de irse tras él.

—¡Así no! ¡Tienes que mantenerlo pegado a la barca! ¡Sujétalo bien, que no se mueva!

Jason puso los ojos en blanco, como si dijera: «¡Qué fácil de decir y qué difícil de hacer!».

—¡Nos movemos! —gritó Julia—. ¡O más bien no! ¡O sí! ¡Giramos en redondo!

Era cierto: después del primer impulso inicial hacia delante, la nave se había estabilizado en un movimiento repetitivo, como si hubiera encontrado un remolino o algo que la movía alternativamente, primero hacia el centro del mar interior y luego hacia la playita. Al final se detuvo.

Rick bajó furiosamente el remo de su lado y ordenó a Jason:

—¡Jason, ven aquí! Tienes que lograr controlar de alguna manera los dos timones. Julia y yo nos ponemos a los remos. Tú aguántalos bien rectos, primero uno y luego el otro, ¿de acuerdo? Haz que la proa de la nave apunte hacia la puerta que hay en la otra playa.

—¡Rick!

—¡Inténtalo! Primero un timón y luego el otro.

—De acuerdo, lo intento —contestó él agarrando con firmeza la empuñadura de sus remos-timón.

Rick acudió corriendo junto a Julia, le ordenó que agarrara uno de los remos y cogió el que había del lado opuesto.

—¿Sabes remar, Julia?

—¡No! —gimió ella.

—¡Maldita sea! —Rick miró a su alrededor, desesperado. El chico pensaba que, si no se ponían enseguida a remar, la *Metis* podía empezar a desplazarse en cualquier dirección, de modo que corrían el riesgo de embarrancar contra la playita de la que habían zarpado—. ¡Entonces cambiad de puesto! ¡Tú ve a los timones y Jason, ven aquí a remar! ¡Deprisa! —chilló.

—¡Jason, voy a los timones! —gritó Julia.

Jason asintió, perplejo e inquieto. Estaba de pie entre los dos timones de popa y tocaba alternativamente la empuñadura de uno y la del otro.

Le cedió rápidamente el puesto a su hermana sin abrir la boca y se sentó detrás de su remo.

—¿Tú por lo menos sabes remar, Jason? —le increpó Rick.

—¡Por supuesto! —mintió Jason.

—De acuerdo… —dijo Rick—. Cuando diga tres damos el primer golpe. Hundimos el remo, damos un golpe, levantamos el remo, lo hundimos, damos un golpe y lo levantamos. ¿Me has entendido?

—Sí —respondió Jason, que no había entendido absolutamente nada.

—Uno, dos y… ¡tres! —dijo Rick.

Hundió el remo en el agua, se apoyó a la empuñadura con todo el peso de su cuerpo y empujó. Luego lo levantó. Jason trató de hacer otro tanto. Oyó cómo el remo caía al agua, lo empujó y lo levantó.

—¡Otra vez!

Repitieron el movimiento.

—¡Otra vez!

Jason dio un golpe de remo poderoso y levantó entusiasmado una nube gigantesca de espuma.

Pero la nave no se movió.

—¡Algo la sujeta! —gritó Julia—. ¡No nos movemos!

—¡Maldita sea! —bufó Rick levantando por cuarta vez su remo—. ¡Es imposible!

Pero no pudo objetar nada: Julia tenía razón. La nave no se había desplazado en ninguna dirección, ni siquiera en la equivocada. Ni siquiera se había dado la vuelta.

—¡No nos movemos!

—¡Estamos anclados a otra cosa! —dijo Rick intuitivamente.

En efecto, era como si una segunda ancla hubiera retenido la nave a poca distancia del embarcadero.

—¡Tenemos que buscar más anclas! ¡Vamos! —los exhortó Rick.

Mientras daba vueltas por la cubierta, Jason tuvo una intuición repentina. La desechó enseguida, pero volvía una y otra vez a su mente: a lo mejor no había una segunda ancla que buscar. Quizá la *Metis* estaba a punto de empezar a moverse. Pero le faltaba algo… una meta. La razón del viaje. A lo mejor a bordo había un instrumento que servía para programar la derrota, algo parecido a los radares de los aviones. Y era eso lo que tenían que buscar.

A lo mejor, se le ocurrió, la nave tenía una especie de motor revolucionario en su bodega. Aunque la bodega estaba vacía: eso era indudable.

Jason tenía la sensación de que la nave esperaba simplemente saber adónde tenía que ir. Porque esa nave podía ser… una nave mágica. En el diario estaba escrito que su casco se había tallado con la madera de un roble sagrado, lo que significaba que, en cierto sentido, también la nave era sagrada.

Pero ¿sagrada con respecto a qué dios?

Absorto en sus fantasías, Jason se acercó al remo-timón que había empuñado poco antes. Lo aferró como un autómata.

—¿Qué haces, Jason? —le gritó su hermana casi de inmediato.

—¡Trato de moverla! —le respondió agitando el timón en el agua.

La nave no reaccionó, como si algo la retuviera.

—¡La nave no se moverá jamás de aquí! —chilló Jason aferrando de nuevo el timón.

Luego trató de relajarse, dejó fluir su imaginación… Se

vio como el capitán Jason guiando la nave en medio de un temporal hacia una tierra desconocida; las paredes de la gruta se separaban para abrirles paso; las velas de la nave se desenrollaban solas como por arte de magia y quedaban bien sujetas a los cabos.

—¡A lo mejor tenemos que tratar de remar un poco más! —exclamó Rick.

—¡No! No es cuestión de remos —respondió el capitán Jason, maniobrando con el timón para esquivar un iceberg que solo existía en esos sueños que soñaba despierto—. ¡Yo os digo que esta nave no va con remos!

—¿Y cómo va? ¿A vela? ¿Con motor? ¡Será en tus sueños!

Jason entornó los ojos en la oscuridad iluminada por las luciérnagas.

«¿Sería posible —se dijo—… que, para mover la nave…?» Volvió a pensar en el diario del capitán. ¿No estaba escrito que la nave los había llevado «siempre a donde hemos querido»?

Egipto…

El viejo Ulysses había viajado a ese país. Y lo había hecho a bordo de esa nave. Jason estaba seguro, tan seguro como de los objetos que llevaba en el bolsillo. Para más seguridad, hurgó en sus bolsillos para cerciorarse de estar tocando objetos reales.

De ellos sacó precisamente el diario egipcio, el que servía de pedestal al *Ojo de Nefertiti*.

—Egipto… —murmuró Jason.

Y en el preciso instante en que lo murmuraba notó con toda claridad cómo la madera del timón vibraba bajo sus dedos.

Una ráfaga de viento desperdigó las luciérnagas, que comenzaron a girar en espiral.

—¿Qué ocurre? ¿De dónde sale este aire? —gritó Rick sobre cubierta.

—Egipto… —susurró Jason un poco más fuerte.

La madera volvió a vibrar y una bocanada de aire dispersó de nuevo las luciérnagas. Como si presagiaran algo, los insectos comenzaron a remontar el vuelo y a refugiarse en los recovecos de las paredes.

—¡Jason! ¡Se está volviendo todo oscuro! —gritó Julia—. ¡Está a punto de ocurrir algo!

Jason asintió. Realmente, estaba a punto de ocurrir algo: la nave le estaba respondiendo. Se volvió a meter el diario en el bolsillo y aferró el timón con las dos manos.

—¡Agarraos fuerte! —chilló, al parecer sin motivo—. ¡Ahora!

Y luego exclamó, con voz alta y clara:

—¡Llévame a Egipto!

—¡Jason! ¿Qué sandeces estás diciendo? —gritó su hermana.

La nave fue embestida por una tercera ráfaga de viento, tan fuerte que Julia cayó sobre la cubierta.

—¡He dicho que te agarres fuerte! —gritó Jason, en cuyas manos la madera del timón había comenzado a danzar, tironeándolo en todas las direcciones.

—¡Sí, a Egipto! —chilló de nuevo Jason—. ¡Llévame con Nefertiti y el tesoro de Tutankamón!

El viento enloqueció en torno a la nave. El mar se encrespó.

Las luciérnagas desaparecieron y en la gruta se abrieron unas tinieblas densas como la noche.

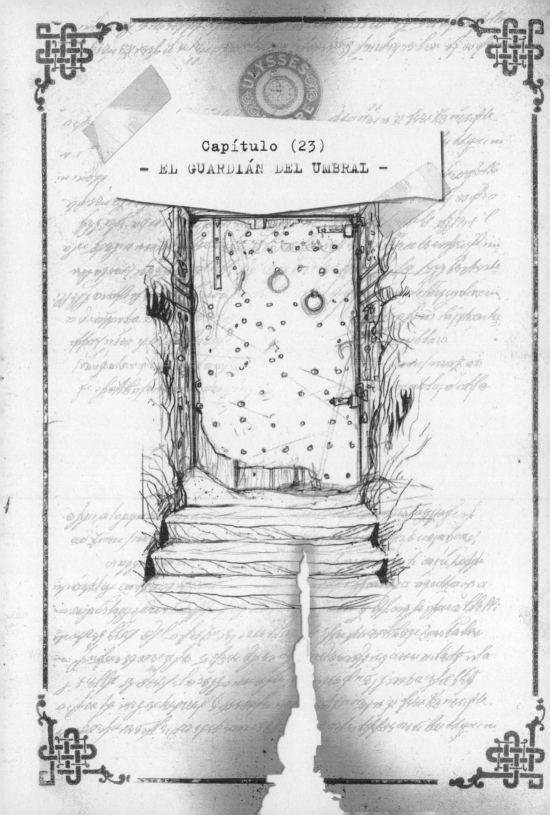

Capítulo (23)
— EL GUARDIÁN DEL UMBRAL —

Oblivia Newton caminaba a paso veloz sobre el pavimento de mármol de su casa. Manfred, el chófer con la cara de bandido que la había acompañado a Villa Argo, la interceptó entrando a la carrera por una puerta lateral.

—¡Manfred! —chilló ella, asustada ante aquella aparición inesperada.

El joven le lanzó una mirada torva y un poco complacida por haber logrado pegarle un susto.

—Señorita Newton, tengo algo que contarle —murmuró.

Oblivia lo dejó atrás, firmemente decidida a llegar hasta la puerta azul eléctrico que había al extremo del pasillo sin nuevas y molestas interrupciones.

Manfred se puso a trotar rígidamente tras ella.

—He estado observando a los chicos, como me había pedido que hiciera. Bajaron por el acantilado a darse un baño antes de que se pusiera a llover.

—Ah.

Los tacones de Oblivia aceleraron imperceptiblemente su ritmo por encima del mármol.

—De regreso, mientras subían, uno se cayó.

—Fantástico; ¿sobrevivió?

—Mucho me temo que sí… Se colgó de un saliente y los otros dos lo izaron y se lo llevaron a casa.

—Lástima. Otra vez será.

—No acaba ahí la cosa. Media hora después, cogieron las

bicis y bajaron a Kilmore Cove. Volvieron a casa con unos cuantos libros.

—¡Que lean, que lean! ¡Todos se quejan de que los niños no leen nunca! Así, al menos, no harán ninguna barrabasada.

—Ese es justamente el problema.

Oblivia se paró en seco.

—¿Qué quieres decir?

—No sé por qué pero esta noche, antes de volver aquí, he visto destellos en la gruta.

—¿Destellos? ¿Cómo es posible?

—No lo sé, señorita Newton. El caso es que…

—Pero ¿cómo han logrado pasar? ¿Qué se propone ese viejo? Nestor no me puede detener, ¡ahora no!

Oblivia Newton agarró a Manfred por los hombros, clavándole en la carne sus diez uñas afiladas. Manfred apretó los dientes de dolor.

—Nosotros seguimos adelante como si no hubiera ocurrido nada… —siseó Oblivia—. Como si nada. ¡Seguimos adelante! ¿Está claro? Cuento contigo, Manfred.

—De acuerdo… señorita… Newton —gimió este.

Solo respiró de nuevo cuando Oblivia le sacó las uñas de encima, dio media vuelta y abrió la puerta azul al final del pasillo.

—Cuente conmigo —susurró Manfred, cuando la puerta se hubo cerrado y en el pasillo solo quedó la inconfundible estela del perfume de la señorita Newton. Y luego añadió

mientras se frotaba los hombros doloridos—: Señora de los Ladrones…

Mientras tanto, en la gruta situada al pie del acantilado había estallado una tempestad con todas las de la ley. Era como si la nave y los chicos se hubieran visto de repente en el tambor de una gigantesca lavadora con piedras y agua salada. La nave se encabritaba y caía a plomo, y luego se inclinaba por uno y otro flanco, sumergiéndose una y otra vez, por completo a merced del vendaval.

Prendidos a las sogas y a los asientos de los remeros, Rick y Julia trataban como posesos de no caer por la borda, pero parecía una empresa desesperada.

Jason, en cambio, no tenía tiempo más que para tratar de dominar el timón, que piafaba entre sus manos como un caballo encolerizado.

—¡Lo lograremos! —gritaba—. ¡Agarraos fuerte!

Cuando parecía que la gruta entera estaba a punto de desplomarse sobre ellos y sumergirlos para siempre jamás, la tempestad amainó.

Hacía un segundo la nave había estado a la merced de olas tan altas como el palo mayor y luego, incomprensiblemente, todo el mar se había calmado. La nave dejó de tambalearse y, lentamente, se acercó al embarcadero.

Jason se dejó caer sobre el timón. Julia, empapada de agua helada, miró a su alrededor y abandonó deslizándose el asiento, al cual se había aferrado con todas sus fuerzas. Rick soltó la soga a la que había confiado su salvación y se masajeó las manos doloridas.

Ninguno de los tres tenía fuerzas ni ganas de decir una sola palabra. Todo lo que había sucedido había sido absurdo. Absurdo y horroroso. La tormenta no había durado más de tres minutos, pero habían sido los tres minutos más largos, interminables e increíbles de su vida.

—Jason… ¿va todo bien? —le preguntó su hermana cuando comenzaron a recorrer tambaleándose la cubierta de la nave.

Los tres llevaban la ropa empapada y estaban helados de frío. La cubierta estaba llena de agua a rebosar, como la bodega, por otra parte.

—¿Qué… ha… pasado? —preguntó Jason poniéndose penosamente en pie.

Rick y Julia agitaron la cabeza.

—No lo sabemos. Ha ocurrido y punto.

—Hemos llegado a la otra parte, Jason.

El chico parpadeó y miró a su alrededor. Era cierto: la nave había atravesado el mar interior y ahora se mecía tranquilamente junto al segundo embarcadero.

—No… no es posible —dijo sonriente.

—Te digo que hemos llegado a la otra parte; ¡mira! —Julia le señaló la escalera con sus escalones negros, que ascendían hasta la abertura que habían visto de lejos.

Rick trataba de quitarse de encima la ropa empapada.

—Luego nos preguntaremos qué ha sucedido, colegas —dijo con un escalofrío—. Estamos calados hasta los huesos. ¡Atchís! Tenemos que secarnos cuanto antes.

—En el baúl de la cabina del capitán había ropa… —observó Julia con aire de cansancio.

—Vamos a ver —dijo Jason.

En la cabina del capitán encontraron vestidos que podían tener por lo menos trescientos años, a juzgar por lo polvorientos que estaban. Por suerte, la tormenta parecía haber respetado los baúles y su contenido, de modo que todo estaba seco. Se desnudaron por cuarta vez aquel día y se pusieron pantalones contrahechos, varios juegos de camisas deformadas y toscas sandalias de madera. Y luego, tan cansados que eran incapaces de burlarse por lo cómicos que iban vestidos, recogieron el diccionario y los demás pertrechos y bajaron a tierra.

Con la cabeza gacha, demasiado trastornados para añadir una palabra más, atravesaron la playa y comenzaron a subir por los escalones desgastados de la escalinata.

—Espero que por lo menos ahí detrás no haya una extraña sorpresa… —murmuró Julia cuando hubieron llegado delante de la puerta— porque creo que no podría soportarlo.

Sobre el arquitrabe de piedra había tres tortugas esculpidas. Rick las señaló con el dedo y encontró fuerzas para sonreír:

—A camino largo, paso corto.

La puerta parecía cerrada y, por suerte, no tenía ninguna cerradura complicada que desbloquear.

Jason apoyó una mano contra ella. Bastó aquella leve presión para que se entreabriera.

El chico se dio la vuelta para mirar a sus amigos y les preguntó:

—¿Vamos?

Julia y Rick asintieron.

Y abrieron la puerta.

— CONTINUARÁ —

— ÍNDICE —

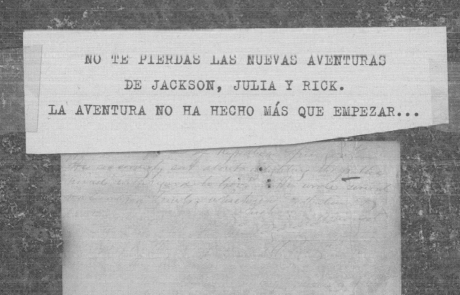

NO TE PIERDAS LAS NUEVAS AVENTURAS
DE JACKSON, JULIA Y RICK.
LA AVENTURA NO HA HECHO MÁS QUE EMPEZAR...

CONTINUARÁ....

Impreso en Talleres Gráficos
LIBERDÚPLEX, S.L.U.
Pol. Ind. Torrentfondo
Ctra. Gelida BV-2249 Km. 7,4
08791 Sant Llorenç d'Hortons (Barcelona)